SV

Jurek Becker
Schlaflose Tage

Roman

Suhrkamp Verlag

13.–22. Tausend 1978
© Suhrkamp Verlag Frankfurt am Main 1978
Alle Rechte vorbehalten
Druck: May & Co, Darmstadt
Printed in Germany

Schlaflose Tage

Wenige Wochen nach seinem sechsunddreißigsten Geburtstag, während einer Unterrichtsstunde, die bis dahin ohne Aufregung verlaufen war, spürte Simrock zum erstenmal im Leben sein Herz. Er erschrak heftig und brach einen Satz an so ungeeigneter Stelle ab, daß viele der Kinder einen Spaß witterten und ihm zu Gefallen lachten. Dabei war der Schmerz nicht groß, eher handelte es sich um einen sanften Druck, um die Andeutung eines Schmerzes, die, hätte er sie an irgendeiner anderen Stelle seines Körpers gespürt, kaum beachtet worden wäre. So aber kam Simrock sich vor wie jemand, der aus hellster Gesundheit ins Leiden hinabstürzte, er klammerte sich an seinen Stuhl und wartete.

Die Kinder beruhigten sich schnell, auch die weniger guten Beobachter erkannten, daß mit ihrem Lehrer etwas nicht stimmte. Nur ein Mädchen hielt unverdrossen den Arm in die Höhe, denn es wollte den abgebrochenen Satz vollenden.

Simrock sagte den Kindern, er fühle sich nicht wohl, sie sollten sich nach eigenem Gutdünken, jedoch leise beschäftigen. Dann meldete er sich bei der Sekretärin ab und verließ das Schulgebäude. Einem Kollegen, der ihn auf dem Flur fragte, ob etwas nicht in Ordnung sei, antwortete er, nun schon lächelnd: »Nichts von Bedeutung, nur die Pumpe.«

Er ging in den nahegelegenen Park und setzte sich auf den Rasen. Zwar stand auf mehreren Schildern, das Betreten des Rasens sei nicht statthaft, doch nahm man in diesem Park, wie er von gelegentlichen Besuchen wußte und auch jetzt wieder sah, das Verbot nicht sonderlich ernst. Der Rasen war ihm lieber als eine der vielen freien Bänke, vom Rasen konnte man nicht herunterfallen; außerdem konnte er sich unbesorgt auf den Rücken legen, ohne gleich für betrunken oder obdachlos gehalten zu werden.

Gesundheit, sagte sich Simrock, sei fürs Glück längst nicht so wichtig wie Krankheit für das Unglück, und er war unglücklich. In so jungen Jahren schon, dachte er. Mit Hilfe der Armbanduhr maß er seinen Puls und zählte einundsiebzig Schläge in der Minute. Dann merkte er, daß er mit dieser Zahl nichts anzufangen wußte; als Kind hatte er sich zum letztenmal den Puls gemessen, einundsiebzig Schläge konnten ebensogut beängstigend sein wie völlig normal. Simrock bedauerte es, daß seine Gefühle nicht selten in Handlungen mündeten, deren Sinn ihm Minuten später schon nicht mehr klar war. Er kannte diese Schwäche seit langem und litt manchmal darunter, doch im Moment gab es Wichtigeres zu denken, das Herz mußte zu einem Arzt. Nur mochte er sein Leben nicht in die Hände des freundlichen Pfuschers legen, der ihm stets widerspruchslos die Tabletten verschrieb, um die er ihn gerade bat, nicht einmal anhörenswerte Vorschläge traute er dem jungen Mann zu. Simrock wünschte sehr, einen Arzt so zu kennen, wie er den Inhaber einer Spirituosenhandlung kannte, der ihm besondere Weine unter dem Ladentisch hervorholte, französische oder ungezuckerte badische, die er als gewöhnlicher Kunde nie zu sehen gekriegt hätte. Von einem Arzt unter dem Ladentisch behandelt werden, dachte er, und die Vorstellung belustigte ihn.

Er streckte sich aus und hielt eine Hand gegen die Sonne, die ihm auch bei geschlossenen Augen zu hell war. Er dachte, es sei ein gutes Zeichen, daß sein Herz sich ruhig verhielt, obwohl er es beobachtete. Als er nach kurzer Zeit die Augen öffnete, blickte er in ein Hundegesicht. Für Sekunden schlug da das Herz vernehmbar heftig, doch so hätte, beruhigte er sich sofort, nach solchem Schreck auch ein gesundes Herz reagiert. Eine schrille Altweiberstimme rief: »Pfui!«, worauf der Hund losrannte, als sei ihm plötzlich etwas äußerst Wichtiges eingefallen. Simrock hatte noch nie aus so geringer Höhe einen Hund laufen sehen, die Bewegungen kamen ihm komisch vor. Gleich darauf versuchte er, sich alle die Personen ins Gedächtnis zu rufen, die seines Wissens ein Herzleiden hatten. Leise sprach er die Namen seiner Verwandten und Bekannten vor sich hin, in alphabetischer Reihenfolge; dann kämmte er die Stadt von Norden nach Süden durch, Bezirk für Bezirk, denn er wollte niemanden übergehen. Möglicherweise, hoffte er, ließen sich da oder dort Ratschläge einholen, lebenswichtige Informationen, er als Neuling war auf Erfahrungen der alteingesessenen Kranken angewiesen. Vielleicht sogar ließe sich erfragen, in welche Klinik er am besten gehen sollte oder zu welchem Arzt am besten nicht. Doch wie systematisch er auch vorging, ihm fielen immer nur die Namen von Verstorbenen ein. Er dachte: Mein Gott, es kommt von allen Seiten auf einmal. Er sagte sich, er könne sich doch nicht jetzt schon aufgeben, dann dachte er: Vielleicht übertreibe ich auch. Er hielt es für verständlich, in seiner Situation zu übertreiben, ja, er sah seine einzige Chance darin, daß er übertrieb. Nach der ersten Aufregung, sagte er sich, würde er vielleicht einen Weg zum Weiterleben sehen. Dann schlief er ein und wachte erst wieder auf, als der Lärm der von der Schule heimkehrenden Kinder durch den Park rollte.

Simrocks Frau Ruth mußte lachen, als er sich, nachdem er

ihr alles erzählt hatte, zu der Behauptung verstieg, der Vorfall bedeute einen Wendepunkt in seinem und somit auch in ihrem Leben und werde vermutlich Konsequenzen haben, die weiterreichten, als er im Moment absehen könne. Sie schüttelte ein paarmal den Kopf, daß er schon dachte, ihre ganze Antwort bestehe aus sprachlosem Kopfschütteln. Dann fragte sie ihn: »Möchtest du wissen, wie oft mir das Herz schon weh getan hat? Fünfzigmal oder öfter. Und zwar richtig, nicht bloß so, wie du es beschreibst. Das erstemal kurz nach Leonies Geburt, und seitdem hat es sich immer wieder gemeldet. Aber hast du je ein Wort von mir gehört?«

Simrock sagte: »Falls du jetzt meinst, ich bin dir dankbar, weil du mich mit deinen Sorgen verschont hast, dann irrst du. Ich fühle mich nicht verschont, sondern ausgeschlossen, vielleicht sogar hintergangen.«

Er dachte, das sei gewiß übertrieben, aber es klinge ganz gut. Er dachte: Wahr ist immerhin, daß ihre Herzschmerzen mich gestern mehr erschreckt hätten.

Ruth sagte: »Ich wollte dir nicht vorwerfen, daß du nicht genügend Rücksicht auf mich nimmst. Ich wollte dich nur beruhigen. Ich wollte dir zeigen, daß dein Herzanfall in Wirklichkeit eine Lappalie ist, wegen der du nicht in Panik geraten solltest. Außer du hast die Absicht, dich lächerlich zu machen.«

Simrock dachte: Selbst wenn sie recht hat, muß sie doch wissen, daß sie es so nicht formulieren darf. Sie hat es auf meinen Widerspruch abgesehen und nicht auf meine Einsicht.

Er sagte: »Ich werde es mir überlegen, ob ich mich lächerlich machen will oder nicht. Ich bin noch unentschieden.«

Ruth sah ihn einige Sekunden ernst an, dann ging sie aus

dem Zimmer. Simrock dachte: So gibt ein Wort das andere. Er saß bewegungslos auf dem Sofa und fühlte sich unbehaglich, jetzt nicht vom Herzen her: es war ein Unbehagen, das nur mit dem Abhandensein von Glück erklärt werden konnte. Dieser Zustand war ihm nicht neu, oft befiel ihn Unzufriedenheit, die er für fruchtlos hielt, weil sie ihn nicht gegen ihre Ursachen aufbrachte, sondern sich jedesmal im Selbstmitleid verlor. Wenn er sich hin und wieder vorwarf, ein Schwächling zu sein, versuchte er, sich damit herauszureden, daß er zu den ehrgeizlosen Menschen gehöre, daß es ihm nun einmal nicht liege, gleich an jedem Kettchen zu zerren, das er an Hand- oder Fußgelenken ausspähe. Die Unzufriedenheit über solche Fesseln, so sagte er sich dann, sei vermutlich leichter zu tragen als die Mühen der Auflehnung.

Ruth rief aus der Küche: »Wollt ihr Pfefferminztee oder Kakao?«

Simrock ging in das Zimmer seiner Tochter, Leonie lag unter dem Tisch, den sie ringsum so mit Decken behängt hatte, daß eine Höhle entstanden war. Nur den Kopf hatte sie durch einen Spalt gesteckt, auf dem Teppich vor ihr lag ein Buch, von dem sie mit demonstrativem Interesse nicht aufblickte. Simrock stand unschlüssig herum, gern hätte er ein Gespräch angefangen, er wußte nur nicht worüber. Als er den Mund zu einer Bemerkung, die er selbst für überflüssig hielt, schon geöffnet hatte, erinnerte er sich, wie gereizt er manchmal reagierte, wenn er las und Leonie ihn mit Nichtigkeiten störte. Dann erkannte er, daß er erleichtert war, jetzt kein Gespräch führen zu müssen. Ihm wurde bewußt, daß er nicht aus Lust auf eine Unterhaltung in Leonies Zimmer gekommen war, auch nicht aus Zerstreutheit, vielmehr in der Absicht, sich um das Kind zu kümmern; wie man zum Dienst geht, zur Erfüllung einer Pflicht. Der Auftrag lautete: Jedes Gefühl von Einsamkeit ersticken, zweitens den Durst des Kindes nach Geborgenheit stillen, schließlich für jede Art von Kommunikation zur Verfügung zu stehen, als Bezugsperson. Er sagte sich, an einem Tag wie heute könne er ganz gut darauf verzichten.

Leonie fragte: »Was bedeutet homogen?«

Simrock erklärte es ihr zu ausführlich, denn sie las schon wieder, bevor er sein Schiffchen in den Hafen gebracht hatte. Er kniete sich hin und streichelte ihren Kopf. Er fragte: »Was liest du denn?«

Ohne die Lektüre zu unterbrechen, hob sie das Buch ein wenig an, damit er den Titel auf der Vorderseite selbst lesen konnte. Aus der Küche rief Ruth: »Ob ihr Pfefferminztee oder Kakao wollt?«

Später lag er im Bett, während Ruth draußen noch mit Hausarbeit beschäftigt war. Gewöhnlich half er ihr am Abend, bis der tägliche kleine Berg aus schmutzigem Geschirr abgetragen war, doch heute hatte er sich mit einem Hinweis auf seinen Zustand entschuldigt. Das Radio auf dem Nachttisch war eingeschaltet, aber Simrock hörte nicht zu; er versuchte, sich auf einen bestimmten Gedanken zu konzentrieren. Nach einigen Minuten stellte er fest, daß es ihm nicht gelang. Er wußte plötzlich nicht einmal mehr, mit welchem Thema der Gedanke, auf den sich zu konzentrieren er eben noch versucht hatte, überhaupt in Zusammenhang stand, nicht einmal andeutungsweise. Er konnte nicht scharf denken, zuviel ging in seinem Kopf durcheinander; einzelne Wörter ragten kurz aus dem Knäuel hervor und waren wieder verschwunden, bevor er sie einordnen konnte.

Da hörte er doch lieber auf die Stimmen, die aus dem Radio kamen, ein Mann führte ein Interview mit einer Frau, die, dem Klang ihrer Stimme nach, etwa fünfzig Jahre alt war. Die Frau berichtete, daß sie zweimal die Woche einkaufen gehe, auch daß die Geschäftsleute, die sie mittlerweile alle kannten, sie jedesmal freundlich bedienten, vor allem ehrlich. Sie konnte sich nur an einen einzigen Fall während der drei Jahre in dieser Gegend erinnern, da man ihr mehr Geld abgenommen hatte, als die Ware wert war, und selbst da hielt sie einen Irrtum für nicht ausgeschlossen. Simrock dachte: Was die heute für ein läppisches Zeug senden. Die Frau erzählte von einem Kaffeekränzchen, an dem sie jeden Donnerstag mit Vergnügen teilnahm, einmal in der Wohnung der einen Freundin und dann bei der nächsten, immer reihum. Unvermittelt begriff Simrock, worin der Witz der Sache bestand: die Frau war blind. Von nun an hörte er interessierter zu, denn er empfand es als angenehm, wie nüchtern und ohne Wehleidigkeit die Frau über ihre Situation sprach.

Der Interviewer fragte, wie es sich eigentlich mit ihren Träumen verhalte. Die Frau sagte, an die ganz frühe Zeit könne sie sich kaum noch erinnern. Wenn sie den Unfall mit zwanzig oder gar erst mit dreißig Jahren gehabt hätte, sähe die Geschichte vielleicht anders aus. So aber liege ihr Leben als sehende Person so weit zurück, daß die wenigen Erinnerungen ihre Träume heute nicht mehr beeinflußten. Klar ausgedrückt bedeute das: Auch in ihren Träumen sei sie blind. Ihre Träume setzten sich zusammen aus Geräuschen und Berührungen und Gerüchen, aus denselben Sinneswahrnehmungen also, denen sie auch während des Wachseins ausgesetzt sei, und nie aus Farben, worauf die Frage ja wohl abziele. Der Interviewer fragte, ob sie denn überhaupt noch eine Vorstellung davon habe, was das sei, eine Farbe. Darauf sagte die Frau, das schon, sie wisse, daß Farben mit der Beschaffenheit von Oberflächen zu tun haben, aber sie sei nicht in der Lage, sich eine bestimmte Farbe zu vergegenwärtigen. Scharlachrot oder lindgrün oder violett seien für sie leere Worte, die sie sozusagen im Blindflug verwende, nur die Farbe Schwarz mache da eine Ausnahme. Einmal habe jemand sie gefragt, ob sie es nicht bedaure, keine Erinnerungen mehr an das Sehen zu haben. Sie habe ihm nach gründlichem Überlegen geantwortet: Nein, sie sei eher froh darüber. Wenn es eine Hoffnung für sie gäbe, das Augenlicht wiederzuerlangen, wäre ihre Antwort gewiß anders ausgefallen. So aber sei sie der Meinung, daß die Sehnsucht nach einem Zustand, der wohl erträumt werden, dem man sich aber nicht das kleinste Stückchen nähern könne, einen nur bei der ohnehin schon schweren Aufgabe behindere, sich zurechtzufinden. Und Erinnerungen an das Sehen seien ja doch letzten Endes dasselbe wie die Sehnsucht danach.

Simrock war gerührt, ihm traten Tränen in die Augen, und dann noch einmal, als er die ersten fortgewischt hatte. Während schon die nächste Sendung lief, wunderte er sich, so gerührt zu sein, denn er fand, das sei sonst nicht seine Art. Er sagte sich, seine Rührung könne nicht nur von dieser Frau herkommen, die blinde Frau habe sie vielleicht ausgelöst, aber nicht verursacht. Die Rührung, sagte er sich, müsse vielmehr in seiner eigenen Situation begründet sein. Er versuchte, sich vorzustellen, wie anders er gestern noch auf eine solche Radiosendung reagiert hätte, doch seine Gedanken gerieten wieder so durcheinander, daß er sie trotz aller Willensanstrengungen nicht ordnen konnte.

Dann weckten ihn Geräusche, die Ruth beim Ausziehen machte. Ein Pantoffel fiel auf den Boden, die Uhr wurde mit hartem Klick auf den Nachttisch gelegt, ein Stuhlrükken. Der Luftzug, der beim Zurückschlagen ihrer Bettdecke entstand. Simrock wußte, daß all dies absichtlich geschah, aber auch, daß nicht Rücksichtslosigkeit im Spiel war. Er dachte: Ach ja, du hättest ihr sagen sollen, daß sie dich heute schlafen läßt.

Denn das Schlafzimmer war der fröhlichste Raum der Wohnung. Die ersten vier Jahre ihrer Ehe hatten sie in einer einzigen Stube leben müssen, dreieinhalb davon mit Leonie, und die Vorfreude auf ein eigenes Schlafzimmer war in jener Zeit so groß geworden, daß sie sich, lange bevor sie es besaßen, eine Schlafzimmerordnung ausgedacht hatten, nur um sich mit etwas zu beschäftigen, das mit dem künftigen Glück in Verbindung stand. Diese Ordnung galt heute noch, und sie war in der Vergangenheit selten mißachtet worden. Punkt eins besagte, daß in diesem Zimmer Streit von draußen nicht mehr zählte. Beide kannten alle zehn Vorschriften auswendig und mußten sich, sofern einer beim anderen Ungesetzlichkeiten feststellte, nur die betreffende Ziffer zurufen, um den jeweils Schuldigen zur Einsicht zu bewegen. Zumindest war das der Normalfall. Manchmal, besonders in der ersten Zeit, waren sie sich albern vorgekommen. Da aber nicht einmal im heftigsten Streit Zweifel am Wert der Paragraphen lautgeworden war, zehrten sie heute noch von dem kleinen Kapital, das sie vor Jahren in ganz anderer Situation zwar, doch günstig, so meinte Simrock inzwischen, angelegt hatten. Der Klang ihrer Stimmen in diesem einen Zimmer war mit dem von draußen nicht zu vergleichen. Sobald sie durch die Tür traten, schien es, als streiften sie ihre Gereiztheit wie ein überflüssiges Kleidungsstück ab, und wenn einer am nächsten Tag unbedingt am Zorn auf den anderen festhalten wollte, hatte doch eine merkliche Veränderung stattgefunden: durch die dazwischenliegende Nacht war der Zorn nicht mehr das, was er gestern noch gewesen war. Er hatte an Leuchtkraft verloren, und man mußte sich nach besseren Gründen umsehen.

Simrock stellte sich schlafend, während ihm nichts anderes übrigblieb, als die Bewegungen und Verrichtungen Ruths hinter seinem Rücken zu verfolgen. Als er hörte, wie sie einen Schluck Wasser zu ihrer Pille trank und wie sie danach das Glas unnötig laut abstellte, dachte er: Die bringt es fertig und kriecht an einem Tag wie heute unter deine Decke. Dann, als schon mehr als eine Minute vergangen war, dachte er: Hoffentlich kommt sie bald, dann haben wir es hinter uns.

Er mußte sich ärgerlich lange gedulden, bis Ruth ihn an der Schulter berührte und fragte, warum er so tue, als schlafe er schon. Er reagierte nicht, obwohl er genau wußte, daß mit Schweigen nichts gewonnen war. Lauter sagte sie dann: »Du, ich habe dich etwas gefragt.«

Simrock drehte sich um zu ihr und gab sich Mühe, verschlafen auszusehen. Er sagte: »Wer soll denn bei solchem Lärm schlafen.«

Ruth bestand nicht auf einer richtigen Antwort. Sie rutschte schnell, als könne sie es nun nicht länger aufschieben, zu Simrock, schmiegte sich an ihn und schloß die Augen. Während er sie betrachtete, gestand Simrock sich ein, daß ihre Nähe ihm auch jetzt nicht unangenehm war, aber er sagte: »Heute lieber nicht.«

Er küßte betont herzlich ihre Stirn, schließlich, sagte er sich, stand in der Schlafzimmerordnung nichts davon, daß man den Gelüsten des anderen schutzlos ausgeliefert war. Im Gegenteil, Punkt vier klärte, daß fehlende Lust ein hinreichender Grund war, sich zu sperren, und daß sie keinen zu Vorwürfen berechtige. Denn fehlende Lust, so hatten beide errechnet, sei nicht allein mit dem freien Willen dessen zu erklären, der sie empfinde, sondern sie müsse auch mit der Person des anderen in Zusammenhang gesehen werden. Allerdings waren sie damals überzeugt davon, daß hier eher ein akademisches Problem liege, das sie nur der Vollständigkeit halber nicht übergingen, und nicht eins, das für ihr Zusammenleben von praktischer Bedeutung werden konnte.

Ein paar Sekunden lag Ruth bewegungslos, daß Simrock schon fürchtete, sie habe ihn nicht verstanden und er müsse seine Worte wiederholen. Dann öffnete sie endlich die Augen, wie nach einer Konzentrationspause, und sagte leichthin: »Hätte ja sein können.«

Sie rollte sich in ihr Bett zurück, und Simrock empfand Erleichterung, mit einer Spur von Bedauern. Allmählich kehrte der Schlaf zurück, Ruth bedrängte ihn nicht mehr mit Geräuschen. Sie blätterte die Seiten ihres Romans fast unhörbar um, nur einmal noch kicherte sie leise vor sich hin. Simrock hatte das Gefühl, als stehe ihr Kichern in keiner Beziehung zu dem Buch, das sie las, obwohl es nicht selten geschah, daß sie beim Lesen lachte. Eher konnte er sich vorstellen, das Kichern habe ihm gegolten, einer seiner Bemerkungen oder einem Gesichtsausdruck, ihre Ansichten über Humor gingen häufig auseinander. Er wollte sie nach dem Grund des Kicherns fragen, aber er merkte, daß er zum Sprechen nicht mehr wach genug war.

Mitten in der Nacht wachte er auf und spürte bald, daß es ihm nicht wieder gelingen würde einzuschlafen. Ruth atmete lautlos, er mußte längere Zeit horchen, bevor er sicher sein konnte, daß sie neben ihm lag. Seinem Gefühl nach war es nicht später als vier. Er bewegte die Hand tastend über die kühle Nachttischplatte und stieß dabei seine Armbanduhr herunter. Er war zu faul, sie gleich aufzuheben. Weil das leise Geräusch in ihren Schlaf gedrungen war, murmelte Ruth einige Seufzer und verschob ihr Kopfkissen, ehe sie wieder still lag. Simrock dachte: Richtig, mein Herz.

Er war erleichtert, als er erkannte, daß kaum etwas von der Unruhe übriggeblieben war, die ihn nach dem Zwischenfall in der Schule erfüllt und die sein Denken bis zu diesem Aufwachen bestimmt hatte. Den Vorgang in seinem Brustkasten nannte er nun selbst einen sogenannten Anfall, und die Reaktion darauf schrieb er seiner bisher uneingeschränkten Gesundheit zu, der mangelnden Erfahrung mit jedem Zustand, der davon abwich. Ein Glück, dachte er, daß wenigstens Ruth kühlen Kopf bewahrt hat, auch wenn er immer noch fand, daß sie ihm einfühlsamer hätte begegnen können. Er stellte sich die Frage, ob ein anderes Verhalten Ruths zu seiner Beruhigung geführt hätte, ob sich folglich hinter ihrer Rigorosität nicht gerade größte Rücksichtnahme verbarg.

Als Ruths Hand unabsichtlich auf seinen Arm fiel und dort liegenblieb, unternahm Simrock eine heftige Anstrengung, um Klarheit in seine Wünsche zu bringen. Die Lust auf Ruth war das einzige deutliche Resultat. Doch es war ihm unmöglich, sie zu wecken und zu umarmen, obwohl es ihm nicht viel ausgemacht hätte, abgewiesen zu werden. Er konnte sich nicht erinnern, wann zum letztenmal das Liebesbedürfnis sich so angestaut hatte, daß selbst in tiefer Nacht keine Rücksicht mehr auf den Schlaf des anderen genommen wurde. Unabhängig davon, wie Ruth sich heute dazu verhalten mochte, fand er, ein solches Vorgehen wäre jetzt nicht angemessen. Es mußte übertrieben wirken, wie ein unkontrollierter Ausbruch von Gefühlen, wie ein Lippenbekenntnis.

Es kam ihm wie eine Erlösung vor, als es unmerklich heller wurde und die Autos zu fahren anfingen. Er tat nichts, um Ruths Schlaf zu stören, hoffte jedoch, daß eine Störung von draußen ihm zur Hilfe käme. Beinahe hätte ihn ein Lastwagen mit scheppernder Ladung erlöst, danach aber verging viel Zeit, bis Ruth endlich das Gesicht zu ihm drehte und sagte: »Du schläfst ja nicht mehr.«

Simrock nickte erleichtert.

Sie fragte: »Weißt du, wie du mich ansiehst?«

Simrock: »Na?«

Ruth: »Es gefällt mir gut, wenn du mich so ansiehst.«

Sie zog ihn zu sich, während Simrock auf einmal dachte, das stimme ja alles gar nicht, irgendwie sei das alles falsch. Er setzte ihr aber keinen Widerstand entgegen, er schloß die Augen und registrierte jede ihrer Liebkosungen, als müsse er später Rechenschaft darüber ablegen. Er dachte: Wenn sie es nicht tun würde, würde ich es tun, einer muß es ja tun.

Monate später, während des mildesten Winters seit Jahren, stand Simrock am Fenster und blickte hinunter auf den Schulhof. Er hatte eine freie Stunde und vertrieb sich die Zeit, indem er Vögel beobachtete, von denen er nur die Spatzen als Spatzen erkannte, die Krähen dagegen konnten auch Raben sein.

Er erschrak ein wenig, als er am Ärmel gegriffen wurde, denn er hatte keine Schritte gehört. Der stellvertretende Direktor der Schule, Kabitzke, zog ihn ins Arbeitszimmer. Er führte Simrock wie einen Gefangenen den leeren Korridor entlang, mit übertriebener Ernsthaftigkeit, als bereite es ihm Vergnügen, Simrock ein paar Augenblicke im Ungewissen zu lassen.

Als sie sich gegenübersaßen, goß Kabitzke Jasmintee in zwei Tassen. Unter den fragenden Blicken Simrocks ließ er eine lange Pause folgen, wie jemand, der nach sehr zügigem, aber unüberlegtem Beginn die Fortsetzung nicht findet. Simrock hätte ihm gern geholfen, doch hatte er nicht die geringste Ahnung, wozu er auf den unbequemen Stuhl gesetzt worden war. Grinsend sagte er: »Wenn es dir heute nicht paßt, kann ich auch ein andermal wiederkommen.«

Kabitzke sah ein, daß es so nicht ging, er gab sich einen Stoß und fragte, ob Simrock vielleicht das Bedürfnis verspüre, sich gründlich auszusprechen.

Erstaunt fragte Simrock: »Wie kommst du darauf, und was, glaubst du, bedrückt mich?«

Kabitzke sagte: »Ich zögere deshalb, weil du der Ansicht sein könntest, ich mische mich in etwas ein, das mich nichts angeht.«

Er unterbrach sich von neuem und schlürfte den Tee wie eine kochend heiße Flüssigkeit; Simrock faßte seine eigene Tasse an, um sich davon zu überzeugen, daß der Tee in Wirklichkeit lauwarm war. Die folgenden Worte Kabitzkes klangen, als sei er sich des anzuschlagenden Tones endlich sicher. Simrock möge bitte, sagte er, Anteilnahme nicht mit Aufdringlichkeit verwechseln, nur wisse er aus eigener, nicht immer angenehmer Erfahrung, daß Schweigen allemal das ungeeignetste Mittel sei, um Schwierigkeiten aus der Welt zu schaffen.

Simrock, mittlerweile verstimmt vor Ungeduld, sagte: »Ich finde, du solltest nicht länger zögern, mir zu verraten, unter welchen Problemen ich leide.«

Kabitzke sah ihn jetzt fest an, mit dem Blick des Eingeweihten. Er sagte, wobei sein Gesicht einen überlegenen und zugleich wehmütigen Ausdruck bekam: »Weißt du, Karl, wenn wir uns nicht seit zehn Jahren kennen würden, könntest du mich vielleicht hinters Licht führen. Versuch es bitte gar nicht erst. Wenn du allerdings der Meinung bist, daß mich nichts als Neugier treibt, dann sag es rundheraus, und der Fall ist erledigt.«

Simrock schlug mit der flachen Hand auf den Tisch, etwas zu heftig, wie er im selben Augenblick empfand. Er rief, von seiner Geste zu ziemlicher Lautstärke gezwungen: »Herrgott, sag endlich, was du willst. Ich verabscheue Gespräche, bei denen einem der Beteiligten verschwiegen wird, worum es geht.«

Kabitzke war nicht gekränkt, er schien im Gegenteil Verständnis für Simrocks Erregung zu haben, für einen Mann in Simrocks Lage. Er legte ihm eine Hand auf den Arm, er sagte, schon gut, sie wollten die Angelegenheit vergessen; er sei schließlich in der Lage, die Zurückhaltung eines Freundes zu respektieren.

Simrock hielt seinen Zorn zurück, weil er meinte, das Vorgefallene lohne den ersten Streit mit seinem stellvertretenden Direktor nicht. Auch wirkte Kabitzke so echt, daß er in bester Absicht handeln mochte. Simrock dachte: Aber er soll aufhören, meinen Arm zu klopfen und so begütigend zu tun. Er wartete sehnsüchtig auf das Ende der Freistunde, während Kabitzke Tee nachgoß und das Gespräch auf weniger geheimnisvolle Dinge wie die nächste Gewerkschaftsversammlung brachte.

Nach der letzten Unterrichtsstunde setzte sich Simrock in ein Café, in dem man ihn gut kannte. Er besuchte es nicht regelmäßig, doch häufig, immer dann, wenn er keine Lust hatte, gleich nach dem Schulbetrieb Ruth zu begegnen und den täglichen Angelegenheiten, die Ruth nicht als Frauensache akzeptieren wollte und in die sie ihn daher ständig verwickelte. Sie arbeitete halbtags in einer staatlichen Versicherung, war also immer vor Simrock zu Hause, manchmal wunderte sie sich, wie lange sein Dienst dauerte.

Simrock war in dem Café nicht auf Unterhaltungen aus, auch nicht auf Ablenkung; er tat dort nichts anderes als das, was er zu Hause auch getan hätte, er bereitete Unterricht vor, korrigierte Hefte oder las. Die geringe Unruhe störte ihn nicht dabei, denn er empfand sie nicht als auf sich gerichtet, im Unterschied zu der häuslichen, vor der man sich nur mit lauten Worten schützen konnte.

An diesem Tag ließ Simrock Hefte und Bücher in der Aktentasche. Er hatte sich nur deshalb auf seinen Platz im Café gesetzt, weil damit die Last von ihm wich, irgend etwas anderes tun zu müssen. Er wunderte sich, als er bemerkte, daß die gewünschten Getränke vor ihm auf dem Tischchen standen, Kaffee und ein Glas Weinbrand, obwohl er eben noch gemeint hatte, die Serviererin habe seine Bestellung bisher nicht entgegengenommen. Er dachte: Wenn es so lange gegangen ist, warum sollte es jetzt plötzlich nicht mehr gehen.

Der Weinbrand schmeckte ihm schlechter als sonst, Simrock mußte sich schütteln. Trotzdem bestellte er ein zweites Glas, dann dachte er: Alles der Reihe nach. Wenn ich unbedingt wissen will, was er an mir bemerkt hat, muß ich ihn morgen nur ernsthaft fragen. Ich kann mir nicht vorstellen, daß er sich ewig so ziert und kindisch schweigt. Die Frage ist nur: Interessiert es mich? Wenn er mir sagt, was für Veränderungen er an mir beobachtet haben will, betrifft das nur mein Erscheinungsbild. Von Bedeutung ist aber, ob und wie ich mich tatsächlich verändert habe. Und seit wann und wodurch. Das zweite Glas Weinbrand schmeckte nicht besser als das erste, wenn Simrock sich auch nicht mehr schütteln mußte.

Eine ältere Dame fragte ihn, ob ein Platz an seinem Tisch frei sei, und Simrock bot ihr mit einer Handbewegung die restlichen drei Stühle an. Er dachte: Dieser Trottel hat natürlich recht, da ist etwas passiert. Ich bin nur zu bequem, es genau zu denken, und aus dieser Bequemlichkeit kriecht wahrscheinlich mein Unglück.

Die Dame fragte ihn, wie spät es sei, Simrock hielt ihr seine Armbanduhr vor die Augen. Mit einemmal sah er klar und scharf, mit welcher Sorgfalt er in der vergangenen Zeit alle die Gedanken verjagt hatte, die für seine Existenz von Bedeutung waren. Als habe er sich damit abgefunden, im Zeitalter der äußersten Arbeitsteilung zu leben: Über die fundamentalen Dinge, was immer das sei, hätten nur Spezialisten nachzudenken. Sie ersparten damit Leuten wie ihm die unsäglichen Mühen, als Ungeübte zu den gleichen Resultaten zu gelangen, die ja nicht willkürlich waren, sondern den komplizierten Gesetzen der Wirklichkeit folgten. Seine Sache sei es dagegen, den Kleinkram aufzuarbeiten, von dem es so reichlich gab, daß ohnehin kaum

Zeit für etwas anderes blieb. Die Dame sagte: »Vielen Dank, ich habe die Zeit schon abgelesen.«

Simrock entschuldigte sich und nahm seine Hand herunter. Er sagte sich: Weiter jetzt.

Die Unruhe, die er verdrängt hatte und deren Anzeichen Kabitzke aufgefallen sein mußten, hatte vor Monaten eingesetzt, bald nach jenem sanften und immer noch einzigen Schmerz. Es war nicht die Unruhe, die gewöhnlich wichtigen Veränderungen vorangeht, sondern sie kam im Gegenteil aus der Gewißheit, daß wichtige Veränderungen nicht zu erwarten waren. Die Furcht, herzkrank zu sein, hatte sich zwar mit erfreulicher Geschwindigkeit verloren, dafür gewann ein Begleitumstand an Bedeutung: Simrock fühlte sich zum erstenmal daran erinnert, daß sein Leben nicht ewig dauern werde. Daß die Zeit bis zu seinem Tod irgendwann, sagte ihm der Druck in seiner Brust, nichts als ein Rest war, ein großer oder kleiner, in jedem Fall ein im Schwinden begriffener. Dem unangenehmen Schauer, der folgte, begegnete er mit Spott: er hielt sich vor, daß jemand, der Binsenweisheiten mit Erkenntnissen verwechsle, mit gutem Grund unter seinem Irrtum leide. Wenn es mich bedrückt, sagte er sich, daß mein Tod, je länger ich lebe, näherrückt, dann müßte mich auch ängstigen, daß es überhaupt Reihenfolgen gibt, daß nicht alles nebeneinander geschieht, gleichzeitig und unaufhörlich. Oder er sagte sich, wer unter dem Unabänderlichen leidet, unter dem Unbeeinflußbaren, der lande zwangsläufig in der Neurose.

Aber der Frieden, den er sich mit solchen Überlegungen verschaffte, kam ihm von der ersten Sekunde an verdächtig vor, wie ein Anzug, dessen Nähte nur hielten, solange man sich nicht rührte.

Die Dame bat Simrock um Feuer, er gab es ihr und achtete

darauf, daß er das Feuerzeug zuschnappen und seine Hand gleich sinken ließ, sobald die Zigarette brannte. Die Dame bedankte sich in einem Tonfall, als sei der Anfang einer Unterhaltung nun vollzogen. Simrock schob ihr den Aschenbecher hin. Es war selbstbetrügerisch, sagte er sich, daß ich mir einzureden versuchte, ich litte unter etwas Unabänderlichem, Unbeeinflußbarem. Er dachte: In Wirklichkeit quält mich ja nicht, daß die Zahl der mir verbleibenden Jahre ständig abnimmt, sondern daß ich diese Jahre, wenn nichts Entscheidendes geschieht, auf eine so belanglose Weise verbringen werde. Obwohl ich es mir nie eingestanden habe, ist mein bisheriges Leben verlaufen, als käme das eigentlich Wichtige erst noch. Ich habe darauf gewartet, daß die Tür geöffnet wird, hinter der die Handlung stattfindet. Wer das sein soll, dessen Hand die Türklinke herunterdrückt, habe ich mich nie gefragt. Es ist sicher normal, daß ein Fünfzehnjähriger seine großen Hoffnungen auf die Zukunft setzt. Ich könnte nicht einmal antworten, wenn jemand mich fragte, was denn meine Hoffnungen sind.

Dann dachte er: Alle Entscheidungen von Belang, die ich selbst zu treffen hatte, sind längst getroffen. Meine Ehe ist beschlossen, mein Beruf steht fest. Wenn ich Ehe und Unterricht betrachte, habe ich zwar das Gefühl, beide richteten sich nach Regeln, die über meinen Kopf hinweg festgelegt wurden; trotzdem war am Anfang meine Entscheidung. In der Folgezeit stand nichts mehr zu entscheiden an. Die Zuständigkeiten waren verteilt, und ich habe mich damit einverstanden erklärt. Zumindest habe ich bis zu dieser Stunde nichts dagegen unternommen. Wenn ich jemals beschließen sollte, die Regeln anzufechten, und im Augenblick drängt es mich danach, dann muß ich damit rechnen, auf Gegenwehr zu stoßen. Diejenigen, in deren Kompetenz ich eingreifen möchte, werden mich einen Störenfried nennen.

Als Simrocks Blick sie zufällig streifte, fragte die ältere Dame: »Sie denken wohl über sehr ernste Dinge nach?« Simrock antwortete: »Ich denke darüber nach, wie ich mein Leben von Grund auf ändern könnte. Allerdings fehlt mir noch die letzte Klarheit.«

Die Dame sah Simrock lange an. Sie stockte in ihrer Anteilnahme und schien nicht mehr sicher, ob jemand, der so unverständlich auf eine freundliche Frage reagiert hatte, für einen Nachmittagsplausch geeignet war. Kurz faßte sie das leere Weinbrandgläschen ins Auge, dann wieder Simrock, der zu dem Schluß gekommen war, für diesen Tag genug nachgedacht zu haben. Bedeutsame Entschlüsse durften bei aller Dringlichkeit, fand er, nicht überstürzt gefaßt werden.

Zunächst, sagte sich Simrock, müsse er sich, um den späteren Ereignissen nicht wie ein Blatt dem Wind ausgesetzt zu sein, eine Art Konzept für den Neubeginn machen:

Da Gewohnheiten die Situation eines Individuums entlasten, andererseits aber der Neubeginnende mit Gewohnheiten brechen will, sind Spannungen unvermeidlich. Sich also von Spannungen nicht überraschen lassen, hielt Simrock als erstes fest, sie gefaßt erwarten. Dann: Sich nicht davor schämen, Standpunkte zu revidieren, in den Augen der anderen ein anderer zu werden. Gerade die Unzufriedenheit mit der Person, die man gestern noch war, hat die Wandlung ja in Gang gesetzt, also wäre Scham nur ein Zeichen von Halbherzigkeit. Das richtigste ist: den neuen Standpunkt wie eine Fahne hoch über dem Kopf zu tragen, ihn herauszuputzen, bis er nach und nach selbstverständlich wird.

Dann: Das für notwendig Gehaltene untersuchen. Den für notwendig gehaltenen Besitz untersuchen, um herauszufinden, wieviel Ballast sich darin verbirgt; die als notwendig geltenden Verhaltensweisen ebenso. Die für notwendig gehaltenen Wünsche überprüfen. Wie viele davon könnten aufgegeben werden, ohne die Lust auf Zukunft zu mindern? Schon ein ausgemusterter Wunsch kann folgenreich sein. Wünsche aufgeben heißt, Kapazität freisetzen.

Als nächstes eine Phase größter Konzentration: Die uneingestandenen Wünsche ans Tageslicht holen. Das wird nicht sofort gelingen, das ist keine Sache von Minuten. Sich immer wieder fragen, ob die uneingestandenen nicht die wahrhaft wichtigen sind. Erkennt man diese Wünsche schließlich, oder ahnt man sie – nicht vor ihnen erschrecken. Vorsichtig mit dem Urteil *abwegig* sein, *abwegig* ist ein vorzugsweise von Gegnern der Veränderung benutztes Wort.

Skrupel und Feigheit säuberlich voneinander trennen, um Verwechslungen zu vermeiden. Sorgfältig prüfen, ob man nicht auch etwas anderes miteinander verwechselt, einerseits: bestimmte Wünsche haben wollen – andererseits: wünschen. Doch nicht zu lange prüfen, prüfen kann zur Ausrede werden. Die so erkannten Wünsche annehmen, sich zu ihnen bekennen, zuerst nur für sich.

Sich darauf einstellen, daß eine Zeit der Nichtübereinstimmung beginnt, genauer: der offenen Nichtübereinstimmung. Eine Zeit kleiner oder großer Kämpfe, das wird sich zeigen, man hat es nicht allein in der Hand. Die Beseitigung der Nichtübereinstimmung zwar anstreben, gleichzeitig aber wissen, daß ein Zustand von Uneinigkeit der Dauerzustand ist und nichts Schändliches an sich hat. Ein flüchtiger Traum vom Glück: Trotz Nichtübereinstimmung akzeptiert werden, darauf beharren dürfen, ohne den Liebesentzug zu riskieren. Das Gefühl haben, daß Widerspruch nicht nur geduldet wird, sondern einfach dazugehört, daß er gebraucht und erwartet wird, um nur ja nicht seine Ursachen zu übersehen. So könnte die Liebe sein.

Dann: Die allgemein gutgeheißene Behauptung, wonach jede Entwicklung von Widersprüchen gekennzeichnet ist, mit Leben erfüllen. Sie auf sich selbst beziehen. Sie irgendwann umkehren: Inwieweit sind die Widersprüche von einer Entwicklung gekennzeichnet?

Weiter: Wie lernt man es, bis an seine Grenzen vorzudringen? Unbedingt untersuchen, ob nicht ein ausgeklügeltes System aus Fehleinschätzungen, Angst, Bequemlichkeit und Selbstbetrug den Zugang zu den Grenzen versperrt. Wie eine Mauer im Landesinnern, weit vor der eigentlichen Grenze. Den Vorstoß zu dieser Grenze für wichtig halten, für das Wichtigste überhaupt. Sich nicht aufhalten lassen durch den üblichen Vorwurf, von Eigenliebe und Selbstsucht getrieben zu sein.

Vielmehr daran glauben, daß erst im Grenzgebiet geheimnisvoll die Kraft wächst, Nutzen zu stiften; daß man erst dort imstande ist, die Rolle des Handlangers aufzugeben, die ja nicht nur Nachteile bringt, die ja auch den Vorteil einer faden Sicherheit bietet. Sich so an einer öffentlichen Angelegenheit beteiligen, an der bisher beteiligt gewesen zu sein man in seinen ehrlichen Augenblicken nie recht geglaubt hat. Weil man sich nicht vorstellen konnte, wie. Durch Stillhalten?

Alles in allem: sich mühen, endlich nach dem neuesten Stand seiner Erkenntnisse zu leben. Und sich mühen, aufrichtig zu sein. Nicht nur in Zeiten, da Aufrichtigkeit erlaubt ist, sondern immer. Oder fast immer, oder so oft wie möglich. Sooft es die Kraft erlaubt. Und dann: Das Widersprechen nicht zum Prinzip machen, nicht zum Regelfall, wie die Übereinstimmung nicht zur Ausnahme. Nicht aus dem Extrem des ausnahmslos Zustimmenden in das Extrem des ausnahmslos Ablehnenden fallen. Jedesmal neu entscheiden, immer wieder entscheiden, aus dem Entscheiden nie mehr herauskommen.

Und seiner Überzeugung vertrauen, sie aber nicht für selbstverständlich halten. Sich nach immer besseren Gründen für sie umsehen. Imstande sein zu sagen: Dazu habe ich keine Meinung. Beunruhigt sein, daß in früherer Zeit ein solcher Satz nie über die Lippen gekommen wäre. Sich fragen: Warum nicht? Seine Ansichten finden, endlich seine Ansichten aus dem großen Haufen von Ansichten herausfinden, um gelassen sagen zu können, wer man ist.

Derlei ging Simrock während der nächsten Wochen im Kopf herum.

Wochenlang suchte er nach einem Anfang. An einigen Abenden betrank er sich, manchmal so sehr, daß Leonie vor ihm erschrak und sich bei der Mutter beklagte. Ruth mahnte ihn, als er wieder nüchtern war, er möge doch wenigstens auf das Kind Rücksicht nehmen. Simrock war dann besonders zärtlich zu Leonie. Er konnte Ruth nichts erklären, er konnte ihr nicht sagen, daß er sich gewissermaßen kalt betrank, nicht aus Genußsucht, sondern in der

Hoffnung, der Schnaps könnte ihm einen Weg weisen, den er nüchtern nicht fand.

Bald jedoch gab er diese Methode auf, als er merkte, daß seine Rechnung nicht aufging und daß er ein unangenehmer Betrunkener war, der bei weitem nicht dem Bild entsprach, das er sich nüchtern von einem Betrunkenen machte. Ruth war voller Freude über seine Wandlung, sie küßte Simrock am zweiten nüchternen Abend und war am Eßtisch ausgelassen. Zu Leonie sagte sie: »Unser Vater hat sich gottlob wieder besonnen.«

Allmählich begriff Simrock, daß ihm nicht damit geholfen war, allein seinen Überdruß zu ergründen, sondern daß er, um sich in Bewegung setzen zu können, mehr über seine Sehnsüchte erfahren mußte. Etwas nicht mehr zu wollen, sagte er sich, sei noch kein Programm. Diese Überlegung fand er zwingend, er ruhte sich ein wenig aus in ihr und meinte, ein gangbarer Weg in die Zukunft könne ihm, wenn er nur intensiv genug nachdenke, auf die Dauer nicht verborgen bleiben. Dann glaubte er zu durchschauen, welcher der erste Schritt sein müßte: Sich von Ruth zu trennen. Er wußte es auf eine so überzeugende und drängende Weise, daß er sich fragte, wo er denn bisher seinen Verstand gehabt hatte. Mehrere Minuten lang dachte er nichts anderes als: Natürlich! Dann dachte er: Wer sich einer Sache so sicher ist, der braucht nicht lange nach Argumenten zu suchen.

Er setzte Ruth sich gegenüber. Sie sah ihn erwartungsvoll an, da seine Gesten so gewichtig waren, er aber brachte es nicht über sich, seinen Plan preiszugeben. Statt dessen streichelte er ihre Hand und beschloß, auf eine günstigere Gelegenheit zu warten, auf den nächsten Streit zum Beispiel. Er nahm sich vor, diesen Streit nicht absichtlich herbeizuführen, obwohl das kaum Mühe gekostet hätte. Es sollte unbedingt ein glaubwürdiger Streit sein, logisch gewachsen und unvermeidlich, ein absichtlich herbeigeführter Streit wäre ihm heimtückisch vorgekommen. Gleichzeitig sagte er sich aber, daß allzuviel Mitleid ihn hindern würde, eine als unumgänglich erkannte Arbeit hinter sich zu bringen, auch so sei sie schon schwer genug.

Eine Woche war Simrock verträglich wie seit langem nicht. Er vermied jedes unbedachte Wort. In einigen Augenblicken fand er sogar Gefallen an dem Frieden, der nicht enden wollte, und vergaß, worauf er mit Ungeduld wartete. Dann wieder bedrückte ihn die Stille, und er fragte sich, wie lange er sie noch durchstehen könne.

Dieser unentschiedene Zustand dauerte, bis Ruth sagte, er komme ihr wie ausgewechselt vor. Simrock reagierte scharf. Da es nichts gab, wogegen er seinen Zorn hätte richten können, sagte er laut und gereizt: »Ich möchte wissen, womit ich deinen Spott verdient habe. Wenn dir die eine Woche Ruhe schon zuviel ist, brauchst du mir nur einen Wink zu geben.«

Ruth fragte, wodurch um alles in der Welt er sich verspottet fühle. Darauf sagte Simrock: »Ich gebe mir, wie dir offenbar nicht entgangen ist, seit Tagen die größte Mühe, unser Verhältnis zu entspannen. Nun wird mir klar, daß du mir lässig dabei zusiehst, daß du die Arme vor der Brust verschränkst und meine Bemühungen beobachtest, als gingen sie dich nichts an.«

Ruth sagte: »Das hört sich an wie bei jemandem, der auf Streit versessen ist.«

Simrock fühlte sich durchschaut, nun war ihm genau das passiert, was er unbedingt verhindern wollte. Er umarmte Ruth, nicht nur, um aus ihrem Blickfeld zu kommen, auch

weil er glaubte, daß sie beide gerade jetzt ein wenig Zärt-
lichkeit brauchen konnten. Ruth kam ihm während der
Umarmung abwartend vor. Sie schien jede seiner Bewegungen insgeheim zu beobachten, als mißtraue sie dem
Stimmungsumschwung. Simrock ließ sie los, und sie gingen in ihr freundliches Zimmer.

Später wachte er aus einem Traum auf, der ihm unangenehm in Erinnerung war, dessen Geschehen er aber nicht
mehr wußte. Er dachte: Ich habe mich zu etwas entschlossen, und ich weiß, daß mein Vorhaben gut und richtig ist.
Doch sobald ich den Mund auftun will, habe ich das Gefühl, mich ins Unrecht zu setzen. Die Umstände sind gegen mich.

Er stand auf und ging in die Küche. Dort setzte er sich an
den Tisch, und es dauerte nicht lange, bis er zu weinen anfing. Das erstaunte ihn, er ging zum Spiegel und betrachtete verblüfft das weinende Gesicht. Er hatte nicht gemerkt, wie das Weinen näher gekommen war, auf einmal
war es da. Er wusch sich, nahm einen Zettel und setzte sich
wieder. Auf den Zettel schrieb er: *Wie kann ich eine Situation herbeiführen, in der es möglich ist, mit Ruth über die
unvermeidlichen Veränderungen zu sprechen?*

Er starrte lange auf diesen Satz, bis er Lust spürte, das Blatt
Papier zu zerknüllen und damit auch die Überlegungen
der letzten Zeit. Es war der Wunsch, sich fallenzulassen,
zu versinken im Gleichmut, doch ein Ekel, den er im Augenblick zwar nicht empfand, von dem er aber wußte, daß
er bestimmt wiederkehren würde, warnte ihn. Wie, dachte
er, kann ich es herbeiführen?

Er erinnerte sich an einen Vorfall, der Jahre zurücklag: Die
Frau eines Bekannten wird über Nacht krank, worauf dieser Bekannte Simrock zwei Premierenkarten schenkt.

Simrock sitzt mit Ruth im Kinosaal, der Film heißt *Spur der Steine*. Gleich zu Beginn, das Licht brennt noch, fragt Ruth, ob er nicht auch den Eindruck habe, im Saal herrsche eine irgendwie merkwürdige Atmosphäre. Er weiß nicht, was sie meint, er beruhigt sie damit, daß sie die Atmosphäre von Premieren nicht gewohnt sei, so gehe es nun einmal bei Premieren zu, sagt er. Ruth sagt, nein, es sei bestimmt etwas anderes, aber sie kann sich nicht genauer ausdrücken. Simrock fiel auch sein Satz ein: »Du mit deinem zweiten Gesicht.« Der Film fängt an, und über den Bildern vergessen sie Ruths Vermutung. Eine gewöhnliche Vorstellung scheint abzulaufen, bis, etwa um die Mitte des Films, eine beleidigte Männerstimme ruft, wie lange man sich das noch mitansehen müsse. Ruth greift nach Simrocks Hand und flüstert: »Was habe ich dir gesagt!« Simrock erinnerte sich auch noch an seine plötzliche Angst, denn noch nie hatte in seiner Gegenwart jemand laut in ein Kino hineingerufen. Und Ruth hatte es geahnt. Ein anderer Mann schreit, der erste Rufer solle sein bezahltes Maul halten und nach Hause gehen, niemand zwinge ihn, sich länger den Film anzusehen. Einige der Zuschauer gehen tatsächlich, einige pfeifen oder schurren mit den Füßen, bis zum Ende der Vorstellung wird zwischengerufen. Auch Simrock möchte gehen, andererseits hält ihn die Neugier. Er flüstert: »Wollen wir gehen?« Ruth schüttelt verängstigt den Kopf. Simrock achtet nicht mehr auf die Leinwand, er möchte jetzt das wirkliche Leben sehen. Er möchte einen Rufer sehen, er möchte ein empörtes Gesicht sehen. Denn er hat das Empfinden, die Empörung sei unehrlich, mit in den Saal gebracht und nicht erst hier entstanden, sei gleichmäßig über die Sitzreihen verteilt Empörung. Die Texte der Leute kommen ihm

leblos vor. Jemand ruft: »Hier wird unsere Partei belei-
digt!« Jemand schreit: »Buuuh! Schluß mit dem Theater!
Buuuh! Macht das Licht an!« Nach der Vorstellung Grup-
pen von Diskutierenden auf der Straße, Simrock zieht
Ruth dahin, wo die Erregung am größten zu sein scheint.
Die heftigen Worte, die er hört, unterscheiden sich nur
wenig von denen, die schon im Saal gerufen wurden. Simrock wundert sich, warum zwei Männer, die doch offenbar einer Meinung sind, so laut miteinander reden. Bald
darauf ist der Film verboten, die Zeitungen schreiben
nichts. Er sei auf empörte Ablehnung bei der Bevölkerung
gestoßen, erklärt ein Dozent während einer Versammlung
den Lehrern, und Simrock bekommt nicht den Mut zusammen, ihn einen Lügner zu nennen.
Er beschloß, es Ruth einfach zu sagen. Alles andere wäre,
kam ihm am Tisch in der Küche vor, als lockte er sie in einen Hinterhalt. Auf einen Streit zu warten, sagte er sich in
dieser Nacht, hieße eigentlich nichts anderes, als ihn absichtlich herbeizuführen, auf eine besonders kalte und un-
anständige Art. Auch schien es ihm zweifelhaft, ob seine
schauspielerischen Fähigkeiten ausreichten, um während
einer künftigen Auseinandersetzung seinen Entschluß so
vorzutragen, daß er spontan klang. Dieses Unglück für
Ruth, dachte er, wenn sie die Situation durchschauen würde! Wenn er seinen Entschluß aber zu einer beliebigen
Stunde vortrüge, zu keinem besonderen Anlaß, außer
dem, daß er vorhatte, ohne Ruth zu leben, dann gab es
nichts zu durchschauen. Die neue Zeit, sagte er sich, dürfe
nicht mit Winkelzügen beginnen.
Simrock löschte das Licht, trat ans Fenster und blickte
hinunter auf die schwarze Straße. Nichts bewegte sich, nur
eine Neon-Schrift flackerte in großer Entfernung, im ge-

34

genüberliegenden Haus war ein Fenster erleuchtet. Als Simrock sich lange genug konzentriert hatte, meinte er, eine Frau zu erkennen. Er holte ein Opernglas: es war eine ältere Frau, die im Pyjama am Tisch saß und ein Buch las. Das Glas war nicht stark genug, um ihr Gesicht gut zu sehen, doch aus der Art, wie sie ungeduldig eine Seite umblätterte, schloß Simrock, daß die Lektüre sie in Spannung hielt. Er stand am Fenster, bis sich doch etwas bewegte, ein Polizeiauto fuhr gemächlich die Straße entlang.

Am nächsten Tag nahm er Ruths Hand und sagte: »Ich möchte, daß wir uns trennen. Ich habe lange auf eine Gelegenheit gewartet, die es uns leichter macht, aber ich habe keine gefunden. Meine Gründe finde ich an manchen Tagen überzeugend, an anderen wieder nicht. Der wichtigste Grund ist: Wenn wir uns heute kennenlernen würden, so wie wir jetzt sind, käme keiner von uns auf die Idee, den anderen zu heiraten. Es ist kaum mehr etwas an uns, in das der andere sich verlieben könnte. Da ich aber genau weiß, daß es nicht immer so war, stelle ich mir die Frage, was uns so verändert hat.«
Jetzt erst kam Simrock der Gegensatz zwischen seinen Worten und seiner Geste zum Bewußtsein, er hielt immer noch Ruths Hand. Er ließ sie los. Ruth sah ihn abweisend an, unnahbar. Simrock wußte, daß ihr Gesicht wie von selbst einen solchen Ausdruck annahm, sobald sie Bestürzendes hörte. Er sagte: »Ich erinnere mich, wie wir uns vor Jahren auf jeden unserer Fehler aufmerksam gemacht haben, auf jeden Makel. Das hatte nichts mit Streitsucht zu tun, obwohl es für den Außenstehenden manchmal so aus-

sah, aber wir wußten es besser. Daß der andere stets im Recht war, daran lag uns ebensoviel, wie selbst im Recht zu sein. Den anderen wissentlich in einem Irrtum zu lassen, wäre uns wie Verrat vorgekommen. Das Wort dafür ist Anteilnahme. Heute interessieren uns die Irrtümer des anderen nur noch, wenn wir uns durch sie belästigt fühlen. Und wie das Interesse an den Fehlern des anderen erloschen ist, so existiert auch keins mehr an seinen Vorzügen. Weil unsere liebenswerten Eigenschaften nicht mehr gefordert werden, verkümmern sie.«

Simrock rauchte und wartete voll Spannung auf eine Entgegnung. Er dachte: Allein von ihr hängt es ab, ob wir im Guten oder im Bösen auseinandergehen. Doch Ruth schwieg, sie sah ihn nicht einmal mehr an, als sitze sie nur noch aus Höflichkeit auf dem Stuhl. Simrock sagte: »Du sollst wissen, daß ich mich oft halbe Tage in der Stadt herumtreibe, nur um nicht zu Hause zu sein. Dabei gefällt es mir gar nicht in der Stadt, sie ist voll und laut und unbequem. Trotzdem bleibe ich und gehe nicht nach Hause, weil ich denke: vielleicht geschieht irgend etwas Unvorhergesehenes. Ich sage mir immer wieder, daß die Aussicht auf Unvorhergesehenes sehr gering ist. In unserer Ehe aber habe ich überhaupt keine Hoffnung. Der größte Vorwurf, den ich dir mache, besteht darin, daß ich mich selbst nicht mehr leiden kann. Die Vermutung, daß es sich umgekehrt wahrscheinlich ebenso verhält, hilft mir nicht weiter. Ich bin auch nicht länger bereit, unser freundliches Zimmer für eine Lösung zu halten. Es gibt Richtlinien für den Katastrophenfall, die zu einem Zeitpunkt festgelegt werden, da man eine Katastrophe für ausgeschlossen hält. Genau das ist uns mit dieser absurden Schlafzimmerordnung passiert. Wir können nur deshalb beieinanderliegen, weil wir uns verleugnen, und weil wir uns verleugnen, vergewaltigen wir uns. Die Tatsache, daß diese Vergewaltigung freiwillig geschieht, ändert nichts an ihrer Anstößigkeit.«

Während Simrock sprach, dachte er daran, wie wohl seine Sätze von Ruth aufgenommen würden. Er war keineswegs sicher, ob das, was ihm so einleuchtend schien, auch ihre Zustimmung fand. Welche Gründe, fragte er sich, könnten sie davon abhalten, einer Trennung zuzustimmen? Furcht vor materiellen Konsequenzen kam ihm unwahrscheinlich vor, denn Ruth hatte ein angenehm leichtes Verhältnis zu Besitz, außerdem war er zu allen Zugeständnissen bereit. Daß Liebe sie aufhalten könnte, schloß er mit noch größerer Sicherheit aus. Für möglich hielt er Angst vor einer unbekannten Situation, die Angst vor dem, wonach er sich sehnte.

Er sagte: »Auch dem Kind ist eine Fortsetzung unserer Ehe nicht zuzumuten. Es leidet unter der Kälte. Von den wenigen Augenblicken scheinbarer Wärme ist es ausgeschlossen. Ich will damit nicht behaupten, ich wollte mich um Leonies willen von dir trennen, ich handle durchaus selbstsüchtig. Doch ich möchte, daß du auch das bedenkst, bevor du mir deine Antwort gibst. Ich beobachte seit langem, daß Leonie sich immer mehr verschließt, daß uns nach und nach die Möglichkeit entgleitet, Einfluß auf sie zu nehmen, außer mit Gewalt. Ihre Eltern sind ihr das einzige Beispiel, also hält sie es für natürlich, verschlossen zu sein.«

Ruth saß immer noch wie uninteressiert da. Die Pausen, die Simrock machte, ließ sie ungenutzt verstreichen, und sie erweckte auch nicht den Anschein, als hätte sie sich zu Äußerungen aufraffen können, wenn diese Pausen länger gewesen wären. Simrocks Blick streifte an ihrem Körper entlang, und er sah, daß sie keinen Finger bewegte und nicht mit der Fußspitze wippte. Sie verlangte nicht einmal nach einer Zigarette, auf die sie sonst, bei geringeren Aufregungen, nicht verzichten konnte. Simrock dachte: Sie sitzt so still, weil sie auf sich achtet und nicht weiß, wie sie sich verhalten soll. Mitgefühl stieg in ihm auf, und er mußte sich beherrschen, um nicht wieder ihre Hand zu nehmen. Statt dessen hielt er ihr seine brennende Zigarette hin, Ruth rauchte sie in tiefen Zügen zu Ende. Simrock fühlte sich erleichtert, weil die Annahme der Zigarette ihm vorkam, als sei Ruth nun zu einem Gespräch bereit.

Er hielt es für möglich, daß nur noch die Barriere des allerersten Wortes sie aufhielt, deshalb fragte er: »Willst du mir nicht sagen, wie du über die Sache denkst?«

Ruth sagte: »Das ist praktisch ohne Bedeutung. Am Ende setzt sich immer der durch, der die Pistole in der Hand hält.«

Er fragte: »Was für eine Pistole?«

Er streckte seine Hände vor und drehte die Handflächen einmal nach oben und einmal nach unten, fand aber, bevor noch die Hände wieder auf den Knien lagen, seine Bewegungen lächerlich. Ruth schien die Albernheit zu übersehen und nachzudenken, wie sie sich am besten verständlich machen konnte. Dann schlug sie ihm mit voller Kraft ins Gesicht. Simrock spürte einen brennenden Schmerz, ein Fingernagel hatte ein Stückchen Haut von seiner Nase gerissen. Er sprang auf und ergriff unkontrolliert ihre Handgelenke, Ruth sah ihm kühl in die Augen, als sei sie neugierig, was er nun tun würde.

Es dauerte ein paar Sekunden, bis er sich unter dem

Schmerz wieder in der Gewalt hatte. Er dachte: Natürlich werde ich sie nicht anrühren. Es war töricht, so zu tun, als könnten wir über die Trennung sprechen wie übers Wetter. Es ist ganz gut, daß sie mich geschlagen hat. Ich muß mir meinen Schmerz und den Haß in ihren Augen einprägen, das wird mein Notgroschen sein.

Ruth sagte: »Du tust mir weh.«

Simrock ließ ihre Handgelenke los, die erschreckend weiß aussahen. Ruth massierte sie, während Simrock mit dem Taschentuch etwas Blut von seiner Nase tupfte. Sie wandten sich voneinander ab wie Leute, die bei ihren Verrichtungen nicht beobachtet werden wollen.

Nach einiger Zeit sagte Ruth: »Dabei wäre ich in der Lage, deinen Entschluß zu erklären. Weil du so unglücklich darüber bist, daß sie dir in der Schule das Rückgrat gebrochen haben, trennst du dich von uns. Du hältst die Trennung für einen ersten Schritt, gleichzeitig steckt dir die Angst in den Gliedern, niemals den zweiten zu tun. Diese Angst macht dich jetzt um so entschlossener. Ich sage das nicht etwa, um dich zur Umkehr zu bewegen, denn ich stelle mir die Ehe mit einem Mann, den ich überreden müßte zu bleiben, noch gräßlicher vor als unsere bisherige. Ich sage es nur, damit dieser wichtige Umstand dir nicht entgeht. Nimm es als Abschiedsgeschenk, vielleicht hast du Verwendung dafür.«

Simrock wollte etwas erwidern, weil er fand, daß ihre Worte zu großes Gewicht bekamen, wenn er ihnen nichts entgegenstellte. Ruth stand sekundenlang da, als wartete sie darauf. Doch alles, was ihm durch den Sinn ging, kam ihm bedeutungslos vor, und er hielt es nicht für der Mühe wert, Sätze daraus zu bilden. Ruth verließ das Zimmer. Simrock fragte sich, ob Ruths Fähigkeit, auch in den unan-

genehmsten Situationen gefaßt zu wirken, ihr Zusammenleben über die Jahre gefördert oder eher behindert hatte.
Er neigte zu dem negativen Urteil, weil er seine Ehe ja
beim Stand der Dinge als gescheitert ansehen mußte. Da er
nie in die Lage gekommen war, ihr Trost geben zu müssen,
empfand er plötzlich den heftigen Wunsch, jemanden zu
trösten. Er dachte daran, daß er Ruth kein einziges Mal
hatte weinen sehen. Vielleicht, dachte er, hatte es sich bei
ihrem Schlagen um eine Art Weinen gehandelt.

Ruth sagte, sie habe die Trennung weder beabsichtigt noch
herbeigeführt und sei daher nicht bereit, die Wohnung gegen zwei kleinere zu tauschen. Wenn Simrock eine solch
unbändige Lust auf den Umsturz verspüre, sagte sie voll
Hohn, müsse er wohl oder übel die mit Umstürzen ver-
bundenen Unannehmlichkeiten auf sich nehmen; zum
Beispiel die, sich eine neue Unterkunft zu suchen. Oder ob
er Leonie und ihr, fragte sie, tatsächlich zumuten wolle,
die Hälfte eines Preises zu zahlen, den zu zahlen nie nötig
geworden wäre, hätte Simrock nicht der Teufel geritten.
Simrock meinte zu verstehen, daß ihre Worte unglücklich
formulierte letzte Versöhnungsversuche waren.
Er sagte: »Das mute ich euch nicht zu, und wir brauchen
kein Wort darüber zu verlieren. Wir wollen versuchen,
uns jetzt so zu verhalten, daß wir uns angenehm in Erinnerung bleiben.«
Ruth sagte: »Nichts interessiert mich weniger als das Bild,
das du von mir mitnimmst.«
Vor der schlimmen Prozedur, auf ein Amt zu gehen, in
eine Warteliste eingetragen zu werden und mehrere Jahre

auf eine Wohnung warten zu müssen, gab es für Simrock keine Rettung. Da er jedoch nicht die Absicht hatte, diese Jahre in der gemeinsamen Wohnung abzuleben – woran Ruth ihn im übrigen nicht hätte hindern können –, mußte er sich nach einem Provisorium umsehen. Die Möglichkeiten hierfür waren dürftig, Simrocks Bekannte lebten zumeist in Wohnungen, von denen sie nur unter erheblichen Einschränkungen einen Teil für ihn hätten abtrennen können. Und wo dies räumlich doch möglich gewesen wäre, schämte er sich, sein Anliegen vorzutragen. Dabei hinderte ihn nicht die Furcht vor Ablehnung, denn er hätte gut verstanden, wenn dieser oder jener nicht bereitgewesen wäre, einen so großen Verlust an Bewegungsfreiheit hinzunehmen. Simrocks Verlegenheit erklärte sich aus einer anderen Not: Zu keinem der in Frage kommenden Wohnungsbesitzer fühlte er sich in einem Verhältnis, das die Bitte, ihm leihweise ein Zimmer zu überlassen, gerechtfertigt hätte. Aus Erfahrung wußte er, wie leicht Bittsteller die Grenze der Bescheidenheit überschritten und lästig wurden.

Simrock dachte an den Vater eines Schülers, der vor längerer Zeit zu ihm gekommen war und darum gebeten hatte, seinem Sohn im Fach *Heimatkundliche Anschauung* eine bessere Note als die angekündigte Vier ins Zeugnis zu schreiben. Auf Simrocks Frage, aus welchen Gründen dies wohl geschehen sollte, hatte ihm der Vater erklärt, daß sein Bruder, des Jungen Onkel also, und er, Simrock, Klassenkameraden gewesen seien. Simrock hatte zuerst gemeint, es handelte sich um eine Einleitung zu irgendwelchen weiteren Erklärungen, die ihn milde stimmen sollte. Als er aber feststellen mußte, daß alle Argumente des Vaters damit ausgesprochen waren, hatte er ihm geantwortet, es tue ihm aufrichtig leid, nur habe er es sich zur Gewohnheit gemacht, ausschließlich bei Verwandten ersten Grades Betrügereien auf sich zu nehmen. Wenn also der Herr selbst sein Klassenkamerad gewesen wäre, hatte er mit ernstem Gesicht gesagt, hätte man über die Sache verhandeln können. Da es aber nur der Onkel des Jungen gewesen sei, dazu ein, wie er sich wohl erinnere, durch und durch unangenehmer Bursche, sehe er sich außerstande, an der Vier zu rütteln. Simrock sagte sich: Nur nicht ein Zimmer bei Leuten finden, deren Schüchternheit womöglich so groß ist, daß sie den Belagerungen eines Schnorrers nicht gewachsen sind.

Andererseits, überlegte er, brauchten Vornehmheit und Feingefühl einen gewissen Besitz als Rückhalt, und er hatte genug Phantasie sich vorzustellen, wie schnell seine Vorräte an beiden, sollte er noch längere Zeit mit Ruth unter einem Dach wohnen müssen, zur Neige gingen. Oder er sah es kommen, daß seine Pläne unter den alltäglichen Nöten begraben wurden, und davor fürchtete er sich nicht weniger.

Nacheinander suchte er drei Bekannte auf und stellte seine Frage. Er hatte nicht diejenigen ausgewählt, deren Quartier im Verhältnis zur Zahl der Bewohner am größten war, sondern die, mit denen er sich im leichtesten Ton unterhalten zu können glaubte. Das negative Resultat entsprach seinen Erwartungen. Der Erste lenkte bei Keksen und Tee das Gespräch so krampfhaft auf ein anderes Thema, daß Simrock es nicht fertigbrachte, sein Anliegen zu wiederholen. Der zweite Bekannte, ein ehemaliger Kollege, der inzwischen als Trainer bei einem Sportklub arbeitete, legte ihm mitfühlend einen Arm um die Schulter und sagte jede Unterstützung zu. Selbstverständlich könne Simrock im

Ernstfall – worunter er verstand: mit einer Frau – bei ihm übernachten, das sei überhaupt keine Frage. Simrock, jetzt schon entschlossener als bei seinem ersten Versuch, mühte sich ab, das Mißverständnis aufzuklären; doch der ehemalige Kollege bestand hartnäckig darauf, bis Simrock die Absicht begriff und kapitulierte.

Vom letzten Versuch versprach er sich am meisten. Der Dritte war selbst geschieden und im Besitz der Wohnung geblieben, da seine Frau ihn zugunsten eines Ausländers in diplomatischem Dienst verlassen hatte. Simrock konnte ihn nicht besonders leiden. Sie kannten sich von der Universität her, Simrock hielt ihn für rücksichtslos und für liederlich. Diese Einschätzung hatte ihn zunächst zögern lassen, den Namen des Dritten auf seine kurze Liste zu setzen. Ausschlaggebend war am Ende die Überlegung, daß gerade die Liederlichkeit des Mannes eine gewisse Aussicht auf Erfolg bot. Simrock wurde fröhlich empfangen und kam zunächst gar nicht zu Wort, er wurde von Zimmer zu Zimmer geführt und hatte neue Möbel zu bewundern. Dabei merkte er, daß sein Bekannter angetrunken war, obwohl Schnapsflasche und ein Glas nirgends herumstanden. Simrock fragte sich, während der andere nicht zu erzählen aufhörte, ob es nicht unmoralisch sei, jetzt mit einer Frage herauszurücken, deren Beantwortung den klarsten Kopf verlangte. Dann sagte er sich: Einem Betrunkenen meine Frage zu stellen, ist längst nicht so verwerflich, wie ich unglücklich sein werde, wenn ich nicht bald ein Zimmer finde. Schließlich nutzte er eine Pause und sagte dem Dritten, weshalb er ihn aufgesucht hatte. Der schwieg ein paar Augenblicke, als hätte er Mühe zu begreifen, was Simrock in Wirklichkeit von ihm wollte. Dann nahm er, nach einem kleinen Lächeln, dreihundert

Mark aus einer Schublade und legte sie auf den Tisch. Simrock fiel jetzt ein, daß er zu einem Mann gekommen war, der ihm seit so langer Zeit Geld schuldete, daß er es vor Jahren schon abgeschrieben und später vergessen hatte. Er verstand sofort den Zusammenhang zwischen seiner Frage und der Rückzahlung des Geldes: Da der Mann nicht mit der Vergeßlichkeit seines Gläubigers rechnen konnte, wollte er nicht, daß alte Schulden ihn daran hinderten, Simrocks Ansinnen zurückzuweisen. Soviel Empfindsamkeit hatte Simrock ihm nicht zugetraut. Er steckte das Geld ein und vernahm bald darauf die klare, durch keine Ausrede gemilderte Ablehnung seiner Bitte. Als er ging, fühlte er sich erleichtert.

Ein gottverdammtes eigenes Zimmer, fluchte er vor sich hin. Er begann, sich zu fragen, ob ein solches Hindernis ausreichte, ihm die Zukunft zu blockieren. Ruth sagte: »Warum ziehst du nicht fürs erste zu deiner Mutter?« Simrock antwortete ihr, was er bisher nur zu denken gewagt hatte: »Ich kann sie nicht ausstehen.«

Bis tief in die Kindheit zurück fand er kaum angenehme Erinnerungen an seine Mutter, außer solchen, die mit Dienstleistungen zu tun hatten. Zum Greifen nahe dagegen waren Geschrei und Kälte, Auseinandersetzungen, die in seiner Vernachlässigung unnützer Aufgaben ihren Grund hatten und mit solcher Verbissenheit geführt wurden, daß die Folgen regelmäßig bis zum nächsten Krach reichten. Heute vermutete Simrock, die Mutter habe ihm nie verzeihen können, daß mit dem Tag seiner Geburt ihre Mädchenzeit beendet war. Als er sechzehn Jahre alt war, hatte sie ihm, wie ein letztes Geheimnis, anvertraut, sie und der Vater hätten erst fünf Monate vor seiner Geburt geheiratet. Fünf Monate, hatte sie gesagt, du weißt, was das bedeutet! Ihre Ehe war fortwährender Unfrieden gewesen. Die Mutter hatte sie geführt wie eine Frau, die ihrer kleinen Familie ein zu großes Opfer bringt, sich selbst nämlich, und die täglich mitansehen muß, daß niemand ihre Selbstlosigkeit zu würdigen versteht. Nach dem Tod des Vaters hatte Simrock sie regelmäßig besucht – als ein Sohn, der wußte, was sich gehört –, die Abstände aber selten geringer als einen Monat werden lassen. In der ersten Zeit waren ihm die Besuche besonders schwergefallen, denn nach seiner Überzeugung war der Anteil der Mutter am Tod des Vaters nicht klein. Der Arzt hatte Herzversagen festgestellt, doch Simrock hatte ihr gesagt: »Wenn niemand ihm eingeredet hätte, daß er zu nichts nütze und ungehobelt und eigentlich nur geduldet ist, könnte er auf seine linkische Weise vielleicht noch leben.« Als es ihm nach und nach möglich wurde, eine Beziehung der Ruhe zu seiner Mutter herzustellen, hatte sich ihr Verhältnis entkrampft. Manchmal nahm er sie vor sich selbst in Schutz, indem er sich vorwarf, sie immer nur als fertige Frau gesehen zu haben und nie als ein Wesen mit einer Geschichte, die zu erforschen er nie versucht hatte. Bei seinen Besuchen sprachen sie meist über Dinge, über die es keine Meinungsverschiedenheiten geben konnte. Er reparierte Schalter oder tropfende Wasserhähne, und der Mutter schien es angenehm, einen Sohn zu haben, der hin und wieder nach dem Rechten sah.

Ruth hatte Simrock an eine Möglichkeit erinnert, die er zuvor selbst schon erwogen und dann wieder verworfen hatte, denn seine Mutter um ein Zimmer zu bitten, kam ihm demütigend vor. Er wußte, daß er nicht auf Ruths Mitleid zählen konnte, er fand das verständlich und seufzte.

Als er den Flur betrat, stieg ihm der Geruch von billiger Zigarre in die Nase. Seine Mutter, die immer so selbstsicher wirkte, daß er sie darum beneidete, kam ihm verlegen vor, als sie sagte, im Zimmer sitze Besuch. Simrock zog sie in die Küche. Er hatte sich vorgenommen, seine Wohnungssorgen auf kürzeste Weise mit ihr zu besprechen, denn er vermutete, daß zehn Minuten Konversation ihm die Lust oder den Mut dazu nehmen könnten. Selbst Formulierungen hatte er sich zurechtgelegt.

Die Mutter hörte seinen knappen Bericht, in dem nichts erklärt, in dem nur ein Zustand und die daraus entstandene Not geschildert wurden. Ohne es ausdrücklich zu erwähnen, ließ Simrock doch keinen Zweifel daran, daß er nicht etwa gekommen war, um sich mit ihr zu beraten, sondern nur, um zu erfahren, ob sie ihm für eine gewisse Zeit das kleine Zimmer am Ende des Flurs überlassen könnte. Ohne Zögern sagte die Mutter: »Selbstverständlich kannst du hier wohnen.«

Sie sahen sich einige Sekunden ernst an, sie kam Simrock von Mal zu Mal zierlicher vor. Ihr Gesicht, fand er, sah eher neugierig als teilnahmsvoll aus. Sie klopfte ihm ein paarmal aufs Knie, als vermisse sie Zuversicht. Simrock dachte daran, daß sie Ruth noch nie gemocht hatte, daß die Freundlichkeit, mit der sie ihr begegnet war, vom ersten Tag an unecht gewirkt hatte, und daß Leonie, anders als andere Kinder sich zu ihren Großmüttern verhalten, ihr nach Möglichkeit aus dem Weg gegangen war. Die Mutter stand auf und bat ihn, einen Augenblick zu warten.

Sie ging hinaus, Simrock dachte: Wohl oder übel muß ich

mich über das Resultat freuen. Heute noch wollte er mit dem Umzug beginnen. Ruths Augen, dachte er, wenn ich meine Wäsche aus dem Schrank in einen Koffer lege. Auch in der Küche, merkte er jetzt, hing der Geruch dieser Zigarre. Simrock öffnete neugierig die Tür, zuerst einen Spalt und dann, als der Flur leer war, ganz. Aus dem Gespräch, das im Wohnzimmer stattfand, hörte er kein deutliches Wort heraus. An der Garderobe hing ein für die milden Apriltage zu warmer Mantel, daneben ein zweireihiges Jackett, in dessen äußerer Brusttasche ein weißes Tüchlein steckte. Simrock sagte: »Kavalierstaschentuch.« Auf dem Boden, neben den Schuhen seiner Mutter, sah er ein Paar Herrenschuhe, schwarz und so blank, daß es lächerlich war. Er klopfte an die Wohnzimmertür. Im einzigen Sessel saß ein Mann mit quergestreiften Hosenträgern, er musterte Simrock feindselig und reagierte nicht auf den freundlichen Gruß. Simrock fand ihn viel zu alt, viel zu verfallen für seine hübsche Mutter. Er fragte, wann er frühestens mit seinen Sachen kommen dürfe.

Die Mutter sagte: »Heute noch, wenn du willst.«

Der Mann stand auf und war so groß, daß Simrock sich wunderte. Er ging an Simrock vorbei hinaus und ließ die Zimmertür offen. Die Mutter machte beschwichtigende Gesten, die Simrock nicht verstand. Der Mann kam mit einer Tasche zurück, auf die das Wort SWISSAIR gedruckt war. Vom Sofa nahm er eine Strickjacke und legte sie sorgfältig zusammen. Simrock wäre gern verschwunden, andererseits hielt er es für möglich, daß der Mutter seine Anwesenheit gelegen sein könnte. Während der Mann den Kragen der Strickjacke zwischen Kinn und Brust geklemmt hielt, sagte er in bittendem Ton: »Geht es nicht vielleicht doch, daß wir . . .«

Die Mutter sagte schnell und entschieden: »Nein, das geht auf keinen Fall.«
Simrock fand ihre Antwort hart, er erriet die Geschichte. Er dachte, sie benehme sich zu dem Mann genauso herablassend wie zum Vater. Die Mutter flüsterte ihm zu, sie fühle sich der Situation allein gewachsen, und Simrock bestaunte ihre Beobachtungsgabe. Er sagte, er werde am morgigen Nachmittag mit seinen Koffern kommen, doch er kam mit fünf Tagen Verspätung.

An den ersten Abenden ging er viel spazieren, nicht nur, um sich mit der neuen Gegend anzufreunden. Er hatte das Bedürfnis, allein zu sein, einmal dachte er auch: Wenn schon, mein Gott, nicht bei Leonie und Ruth, dann bei anderen erst recht nicht; als sei er Ruth und Leonie eine Übergangszeit der Einsamkeit schuldig. Am wenigsten Lust hatte er, mit der Mutter zu sitzen und befragt zu werden, was es denn nun gewesen sei, das seine Ehe kaputtgemacht habe. Auch so, fand er, war er übergenug mit ihr zusammen, sie ließ es sich nicht nehmen, ihm jeden Morgen das Frühstück zu bereiten, ihm beim Essen Gesellschaft zu leisten und, wenn sie ihn nicht ausfragte, so lange zu erzählen, bis er die Wohnungstür hinter sich zuzog. Es gab keinen Schutz vor Hunderten von Einzelheiten aus ihrem Leben. Einmal, während er durch eine dunkle Allee spazierte, wünschte er, daß ihn diese Einzelheiten interessierten. Er mußte sich anhören, wie das Verhältnis der Mutter zu Richard, dem Mann mit den glänzenden Schuhen, entstanden und verlaufen war, wie es schließlich Formen angenommen hatte, die seinen Abbruch, auch ohne Simrocks

Erscheinen, unvermeidlich machten. Simrock betrachtete die morgendlichen Erzählungen wie einen Mietpreis, ohne den das Zimmer am Ende des Flurs nicht zu haben war. Bei Spaziergängen, glaubte er, könne er am besten nachdenken, selbst leichter Regen störte ihn nicht. Doch mitunter, wenn er wieder zu Hause war, wußte er nicht mehr, welche Gedanken ihn während des Spaziergangs beschäftigt hatten. Die Spaziergänge führten ihn in eine Art Trancezustand, in dem die Vergangenheit sich auflöste, die Zukunft jede Bedeutung verlor und seine Sorgen schwerelos wurden. Hinterher dann, wenn er die Treppe im Haus der Mutter emporstieg und sich der Gegenwart bewußt wurde, machte er sich Vorwürfe, wieder einen Abend vertrödelt zu haben. Wie nur und wodurch, fragte er sich einmal, bin ich in dieses Hexenhaus geraten.

Einmal ging er ziellos durch seine Kindheit. Das Haus steht in einer sonnenüberfluteten Straße, durch ein Beet voll müder Blumen vom Bürgersteig getrennt. Er wagt es nicht, der Mutter zu sagen, wie sehr er sich langweilt, sie hat immer Aufträge. Das Blumenbeet muß jeden Abend gegossen werden, auch im Winter darf man es nicht betreten. Es ist handbreit über dem Erdboden von einer runden eiswaffeldicken Metallstange umgeben. Albrecht aus dem Nachbarhaus kann auf dieser Stange laufen wie zu ebener Erde, zehnmal hin und her, wenn er will. Er aber schafft es nie, weder schnell noch langsam, einige Male kommt er fast bis zur Mitte. Schon beim allerersten Schritt auf der Stange weiß er, daß er es nicht schaffen wird, schon bevor er sie betritt. Vielleicht ist gerade das der Fehler. Vielleicht geht es besser, wenn man sich einredet, auf der Stange zu gehen sei eine Kleinigkeit. Er redet es sich einen halben Tag lang ein, doch dann hält es ihn schon nach drei Schritten nicht mehr oben. Er übt, bis die Mutter ihn durchs Fenster sieht und einen Auftrag hat. Das Städtchen heißt Prenzlau. Albrecht findet die Stange langweilig, er sagt: Wer es einmal schafft, der schafft es immer wieder. Karl weint im Bett.

Plötzlich war Simrock umringt von einer Meute lautloser Burschen. Er hatte sie nicht eine Sekunde früher wahrgenommen, sie mußten aus einem Versteck, das jeder Busch am Rande der Allee sein konnte, hervorgekommen sein. Im selben Moment, da Simrock verstand, daß sie ihn ausrauben wollten, packten ihn mehrere Hände. Er empfand die Hände nicht als brutal, auch nicht als besonders stark, doch waren es so viele, daß sich zu wehren keinen Sinn hatte. Es hätte eben nur den Sinn, dachte Simrock, sich zu wehren, und er hielt still. Es wunderte ihn, wie gelassen er dem Vorfall, der ohne Beispiel in seinem Leben war, gegenüberstand, wie er sich fast als Zuschauer vorkam, der einen ähnlichen Film schon einmal gesehen hat. Das Licht der nächsten Laterne, die mindestens zwanzig Meter entfernt stand, reichte nicht aus, um die Gesichter deutlich zu machen. Simrock sah nur flüchtige Einzelheiten aus dem Dunkel auftauchen, ängstliche Augen, eine grobgliederige Kette um ein Handgelenk, einen vor Aufregung geöffneten Mund. Dann fühlte er schnelle Finger, die seine Taschen durchsuchten und zwischen Hemd und Jacke hin und her glitten, und er meinte zu erkennen, daß sie kaum Übung im Aufspüren von Beute besaßen. Als sie seine Brieftasche und das Portemonnaie gefunden und in der Dunkelheit verstaut hatten, die Burschen mit der Durchsuchung aber immer noch nicht aufhörten, dachte Simrock: Was glauben die denn, wieviel Brieftaschen und Portemonnaies ich bei mir trage? Dann hörte er eine Mädchenstimme rufen: »Ein Bulle!« Sofort fielen die Räuber von ihm ab und stoben auseinander in verschiedene Richtungen. Simrock griff nach einer der Hände, die als letzte aus seinen Taschen gezogen wurden. Eine Faust schlug ihm gegen die Hüfte, dann stellte er verblüfft fest, daß er einen Gefangenen gemacht hatte. Der junge Bursche versuchte mit aller Macht, sich zu befreien, aber Simrock war unvergleichlich stärker. Er verdrehte den zappelnden Arm bis zu einem Punkt, daß schon der winzigste Druck genügte, um große Schmerzen zu verursachen. Der Bursche trat nur einmal nach Simrocks Schienbein, dann schrie er leise und gab auf. Jetzt erst sah Simrock den Polizisten. Er näherte sich ihnen auf der anderen Straßenseite, in gemächlichem Schritt bei seiner abendlichen Streife. Simrock überlegte, welche präzisen Angaben er machen konnte. Die Anzahl der Bandenmitglieder wußte er nicht, Namen waren nicht gefallen, und keins der Gesichter hätte er als Ganzes wiedererkannt. Er wußte nicht einmal, wieviel Geld in dem Portemonnaie war. Dann dachte er: Was für ein Unsinn, die präziseste Angabe halte ich hier an der Hand. Doch dann, als der Polizist ihre Höhe erreicht hatte, brachte er es nicht über sich zu rufen. Er sah die Schweißtropfen auf der Stirn des Jungen und den Haß in seinen Augen, die nicht auf den Polizisten gerichtet waren, sondern starr auf ihn. Der Polizist beachtete sie nicht, vielleicht nahm er sie gar nicht wahr. Eine Filmszene, dachte Simrock wieder. Einen Moment lang wollte er den Jungen loslassen, dann erwog er die Möglichkeit, im Austausch sein Eigentum zurückzubekommen. Er dachte: Geiselnahme. Er blickte dem Polizisten nach und beschloß, ihn drei Laternen weit gehen zu lassen, bevor er den Wortwechsel, der laut geraten konnte, beginnen wollte.

Er überlegte, welches Vorgehen die größte Aussicht auf Erfolg versprach: als nachsichtiger Erwachsener aufzutreten, als entschlossener Pädagoge, oder als der Stärkere, der Gewalt gegen Gewalt setzt. Dann erkannte er, daß die Entscheidung schon gefallen war, daß die Gewalt bereits stattfand; ein Pluspunkt in den Augen des Jungen konnte sein, daß er still den Polizisten hatte ziehen lassen. In solche Gedanken vertieft, konnte Simrock nicht schnell genug reagieren, als der Junge sich losriß. Simrock stand unentschlossen und verärgert da, und bevor er noch einen ersten Schritt zur Verfolgung tun konnte, war von dem Jungen nichts anderes mehr da als die Richtung, in die er zwischen Bäumen und Büschen verschwunden war. Simrock winkte ab. Ihm graute vor den Erklärungen, den Fragebögen und den Wegen, die er, ehe man ihm seinen Ausweis und die anderen Papiere ersetzte, abzugeben und auszufüllen und zu gehen hatte. Er wünschte sich einen Sieg, irgendeinen zwischen den vielen Niederlagen. Er setzte seinen Weg, der nun kein Spaziergang mehr war, fort und sagte sich, es sei dumm gewesen anzunehmen, der gefangene Junge hätte wegen des Verzichts auf die Polizei ein wenig Sympathie für ihn empfinden müssen. Eher, so schien ihm jetzt, müsse seine Entscheidung, den Polizisten nicht zu rufen, beängstigend auf den Jungen gewirkt haben. Im Falle seiner Verhaftung wären, immer aus der Sicht des Jungen, zwar unangenehme, gleichwohl vorhersehbare Folgen eingetreten, zumindest wäre es einigermaßen korrekt zugegangen. Die ungewisse Zukunft aber, hinter dem Rücken der Polizei, im Griff des eiskalten Mannes, konnte schrecklich werden, zum Beispiel hätte er einem Sadisten in die Hände gefallen sein können. Simrock folgerte, daß es sich demnach für einen Wohltäter empfehle, die Betroffenen rechtzeitig in seine guten Absichten einzuweihen.

Wenige Meter vor ihm fiel ein Päckchen auf den Gehweg. Simrock konnte den Werfer nirgends entdecken, es mußte von den Büschen her geflogen sein. Simrock stieß es vorsichtig mit dem Fuß an, ein leichtes Ding, in Zeitungspapier gewickelt. Er war sicher, daß er beobachtet wurde. Er hob das Päckchen auf und fand darin seine Brieftasche und das Portemonnaie. Die Brieftasche enthielt alle Papiere, Simrock steckte sie ein, auch das Portemonnaie, ohne seinen Inhalt zu prüfen. Er war überzeugt davon, daß kein Pfennig fehlte. Bevor er weiterging, überlegte er, ob er, dem plötzlich in ihm aufsteigenden Glücksgefühl folgend, etwas hinter die Büsche rufen sollte.

Simrock wurde zu Kabitzke gerufen. Kabitzke sagte: »Du bringst dich für nichts und wieder nichts in Schwierigkeiten. Am Ende bist du verrückt geworden. Oder meinst du, du müßtest um jeden Preis Aufsehen erregen?«
Simrock sagte: »Es würde mir leichterfallen zu antworten, wenn ich wüßte, worum es geht.«
Kabitzke schlug sein Notizbuch auf und las darin mit einem Gesicht, als stünden die Dinge für Simrock verzweifelt schlecht. Simrock hielt ihn für einen Mann, der immer wieder vorschnell Katastrophenalarm gab und auf diese Weise seinen Kampf gegen die Ereignislosigkeit führte. Wenn die befürchteten schlimmen Folgen dann nicht eintraten, führte er es darauf zurück, daß er so rechtzeitig vor ihnen gewarnt hatte. Aber niemand lachte über ihn.

Kabitzke sagte: »Zur Demonstration am Ersten Mai sind aus deiner Klasse ganze neun Schüler gekommen.«

Simrock: »Das weiß ich, denn ich war ja selbst dabei.«

Kabitzke: »Der mangelhaften Beteiligung voraus ging ein unerhörter Vorfall: Du hast vor der Klasse erklärt, nur diejenigen brauchten zur Demonstration zu kommen, die auch kommen wollten; wer aber lieber etwas anderes machen möchte, der sollte sich nicht abhalten lassen. Stimmt das so oder nicht?«

Simrock: »Ja, das stimmt. Meines Wissens ist die Teilnahme an Demonstrationen freiwillig, und eben darauf habe ich hingewiesen.«

Kabitzke: »Freiwillig, freiwillig! Komm mir doch nicht so.«

Simrock: »Ich lege Wert darauf, einen wichtigen Punkt zu unterstreichen: Ich habe die Kinder nicht dahingehend beeinflußt, der Demonstration fernzubleiben, sondern ich wollte sie ermuntern, ihre Entscheidung selbst zu treffen. Nebenbei gesagt, habe ich zuvor einen ausführlichen Vortrag über die Geschichte des Ersten Mai gehalten. Ich weiß wirklich nicht, warum du dich so aufregst.«

Kabitzke: »Dann will ich es dir sagen. Es gibt Leute, denen dein ausdrücklicher Hinweis auf die Freiwilligkeit der Teilnahme wie eine Kampfansage vorkommt.«

Simrock: »Das tut mir leid. Wenn du es wünschst, kann ich jedem erklären, daß ich nichts anderes im Sinn hatte, als zu verhindern, daß irgendeins der Kinder sich zu der Demonstration genötigt fühlt.«

Kabitzke: »Ich finde, himmelnochmal, jetzt ist nicht der Zeitpunkt, sich dumm zu stellen.«

Simrock: »Das finde ich auch. Wenn ich deine Worte richtig deute, dann befand ich mich bis jetzt in einem Irrtum.

Zum nächsten Anlaß werde ich der Klasse sagen, die Teilnahme an Demonstrationen sei doch Pflicht, jeder habe entweder zu kommen oder eine Entschuldigung vorzulegen. Wenn es Rückfragen geben sollte, werde ich mich auf dich berufen.«

Kabitzke: »Einen Dreck wirst du.«

Simrock lächelte, bevor er sagte: »Nach meinem Dafürhalten sind wir jetzt bei einem äußerst wichtigen Punkt angelangt. Du wünschst dir offenbar, daß die Teilnahme an gewissen Veranstaltungen freiwillig heißt, daß ich aber dennoch für vollzähliges Erscheinen der Kinder zu sorgen habe. Diese Aufgabe überfordert mich, und darum werde ich in Zukunft einen Unterschied zwischen tatsächlicher und angeblicher Freiwilligkeit nicht mehr anerkennen.«

Kabitzke: »Karl, man kann nicht vernünftig mit dir reden. Ich halte, was du sagst, für verantwortungslos, denn es klingt in meinen Ohren selbstzerstörerisch.«

Simrock schlug mit der flachen Hand auf den Tisch. In der darauf folgenden Pause, während Kabitzke ihn ungläubig ansah, sagte er sich, von seiner Seite gebe es nichts mehr hinzuzufügen. Dann fiel ihm ein, daß er vor einiger Zeit schon einmal auf denselben Tisch geschlagen hatte, und er dachte, Kabitzke müsse sein Auf-den-Tisch-Schlagen bald für eine dumme Angewohnheit halten. Er stand auf und verließ das Büro. Minutenlang freute er sich, daß er es gewesen war, der das Gespräch beendet hatte.

Da tief in ihm, wie Simrock während der folgenden Tage beschämt erkannte, die Überzeugung saß, er könne seinen Schülern nicht helfen, hatte er sich vor ihnen verschlossen und galt als strenger Lehrer. Dabei wußte er, daß sie ihn eigentlich mochten, denn er gab sich Mühe, das Gerechtigkeitsempfinden der Kinder nicht zu verletzen. Auch forderte er keine unsinnige Disziplin, sie brauchten, wenn sie vorgeschriebene Respektsbezeigungen vergaßen, keine Nachteile zu befürchten. Simrock ging davon aus, daß man sich zueinander in einer Art Arbeitsverhältnis befand, dessen Wirksamkeit einzig daran gemessen werden konnte, wie viele der Lehrersätze sich in den Kinderköpfen einnisteten. Vertrautheit mied er, weil er sich sagte, sie könne eine Quelle von Bevorzugung und Benachteiligung sein; mit allen gleichmäßig vertraut zu sein, kam ihm unmöglich vor. Die Kinder konnten sich darauf verlassen, daß ihnen Unaufmerksamkeit oder Faulheit unweigerlich schlechte Zensuren eintrugen, und deshalb, vermutete Simrock, hielten sie ihn für streng.

Er sagte sich: Es hat keinen Sinn, die Augen länger davor zu verschließen, daß die entscheidenden Veränderungen in der Schule zu geschehen haben. Meine Pläne lassen sich nicht verwirklichen, solange ich mich verhalte, als erledige sich das Schwierige von selbst. Bis heute, dachte er, habe ich den Ring um mich herum an seiner schwächsten Stelle gesprengt, bei der Familie. Ich lebe in der Höhle wie ein Fuchs, bin einsam, fühle mich unglücklich, verkomme. Sollte das mein ganzer Erfolg gewesen sein? Die Erwartungen, dachte er, ohne die mein gegenwärtiges Leben eine Hölle wäre, sind durch nichts gerechtfertigt, wenn ich länger die Hände im Schoß halte.

Simrock machte sich daran zu erkunden, welche Eigenschaften des Lehrers, der er bis jetzt war, verändert und welche seiner Gewohnheiten aufgegeben werden sollten. Gleichzeitig zerbrach er sich den Kopf, welche Eigenschaften und Gewohnheiten er an die Stelle der abzuschaffenden setzen mußte, denn er wollte nicht wieder vor einem Loch stehen. Lange hatte er nicht mehr darüber nachgedacht, welches die Vorzüge eines guten Lehrers sind. Entweder war ihm die Frage nicht gekommen, oder er rechnete sich in ehrgeizigen Augenblicken einfach den guten Lehrern zu. Er konnte sich nicht daran erinnern, welches Idealbild ihm als Student vor Augen gewesen war. Er wußte nicht einmal mehr, ob es je eins gegeben hatte.

Gegen die Gefahr, Merkmale guter Lehrer auf flüchtige Weise zu erkennen, um sie, sich faul mit dem bloßen Erkennen zufriedengebend, bald wieder zu vergessen, nahm er ein Blatt Papier. Als er zu schreiben anfangen wollte, kam ihm der Gedanke, es könnte gut sein, zuvor mit anderen Lehrern zu sprechen oder, wenn schon nicht mit Lehrern, mit anderen Personen. Dann sagte er sich, es gehe ausschließlich um die Meinung des Lehrers, der er in diesem Moment war. Er nahm den Bleistift wieder zur Hand, fühlte sich aber abgelenkt durch die Sehnsucht nach einer Frau, die nicht Ruth sein durfte. Für wenige Minuten überließ er sich dieser Sehnsucht, dann dachte er: Wenn viele Probleme gleichzeitig einer Lösung bedürfen, so wie bei mir jetzt, wird stets der Gedanke an das eine die Bewältigung des anderen behindern. Da ich mich nicht selbst zur Untätigkeit verurteilen will, muß ich bereit sein, auch in abgelenktem Zustand eins meiner Vorhaben zu beginnen. Dann, nachdem er so weit war, zwang er sich zur Konzentration. Abwechselnd überlegte und schrieb er den Abend hindurch und einen Teil der Nacht.

1. Mein guter Lehrer muß ein Verbündeter der Kinder sein. Nicht in der Absicht, einen pädagogischen Trick an-

zubringen, nicht wie ein Taschenspieler, der mit Hilfe seines Verbündet-Tuns andere Ziele verfolgt, sondern ohne Vorbehalt. Nur auf Grund der Überzeugung, daß Kinder Verbündete brauchen.

2. Verbündeter sein heißt, sich gegen jemanden zu verbünden bereit sein, und sei es die mächtige Schule. Sich verbünden gegen sinnlose Bräuche und Anordnungen, von denen es die Fülle gibt. Niederlagen nicht vor den Kindern verheimlichen, sondern offen mit ihnen darunter leiden. Sich aber mit Niederlagen nicht zu früh abfinden, nicht kämpfen wie ein Fallsüchtiger.

Wie kannst du ruhig bleiben, wenn dem einen Kind infolge von Offenheit Unannehmlichkeiten entstehen und dem anderen, das nach dem Munde redet, Vorteile.

3. Im Extremfall bereit sein, Konsequenzen zu ziehen (denn es sind Niederlagen denkbar, die nicht hingenommen werden dürfen). Bereit sein, nicht länger Lehrer zu sein, sich mit dieser Bereitschaft Bewegungsfreiheit verschaffen. Doch nicht eine zu kleine Währung daraus machen, für jeden Tag.

4. Er muß sich den Kindern verantwortlich fühlen, mehr als der Schulbehörde. Über den vielgebrauchten Satz, die Schule sei dazu da, die Kinder aufs Leben vorzubereiten, darf er nicht vergessen, daß die Gegenwart ja schon das Leben der Kinder ist. Daß sie schließlich nicht Tote sind, die erst zum Leben erweckt werden müssen.

5. Gespielte Anteilnahme ist schlimmer als eingestandene Interesselosigkeit, denn sie verführt die Kinder zu Offenbarungen vor verschlossenen Ohren. Stell dir einen Blinden vor, dem weisgemacht wird, in einem in Wirklichkeit leeren Raum sitzen Zuhörer, die an seinem Schicksal interessiert sind. Wie er anfängt zu erzählen, bis er durch das

Ausbleiben von Reaktionen erkennt, daß er betrogen wurde.

6. Der gute Lehrer muß gute Nerven haben. Die kann er sich nicht antrainieren, ebensowenig sie erzwingen. Nur die Liebe kann sie ihm geben. (Aber wen lassen sie nicht alles Lehrer werden.)

7. Er muß neugierig auf die verschiedenen Anlagen der Kinder sein, er muß sie erkennen wollen. Er darf nicht ein fertiges Kind im Kopf haben, an das er alle anderen heranführen will, gebrochen und gleich.

8. Es wird geschehen, daß seine Ansichten von denen abweichen, die er laut Lehrplan den Kindern vorzutragen hat. (Ihm, meinem guten Lehrer, wird das immer wieder geschehen.) Wie sich verhalten? Nur die andere Ansicht sagen? Oder nur die eigene? Oder beide? Wahrscheinlich gibt es keinen anderen Weg, als den Kindern zu erklären, wie Überzeugungen zustandekommen: nicht nur aus Urteilen, sondern auch aus Vorurteilen. Das ist ein abenteuerliches Thema. Er darf die Kinder nicht lähmen mit Endgültigem, sondern er muß sie vergleichen lehren und somit zweifeln.

9. Sich selbst darf er über keine Auseinandersetzung stellen, also auch nicht über den Zweifel. Er hat gewonnen, wenn die Kinder ihn akzeptieren, obwohl sie ihn ungestraft ablehnen könnten.

Simrock hörte auf zu schreiben und stellte sich vor, er wäre zusammen mit einer Frau. Es waren nicht sexuelle Wünsche, sondern das Bedürfnis nach einem Menschen, mit dem er innig vertraut sein wollte. Er stellte sich eine junge Frau vor, eine sehr schöne, mit langen glänzenden Haaren. Dann las er seine Notizen. Er strich die Zahlen aus, die die einzelnen Absätze voneinander trennten, verbesserte hier und da ein Wort. Dann las er noch einmal und dachte: Was für ein Bemühen, einen guten Lehrer in Theorien darstellen zu wollen! Er zerriß die Notizen. Später wusch er sich im Badezimmer, wo ein neues Parfüm seiner Mutter ihm fast den Atem nahm.

Er hatte einen Traum. Kabitzke war eine alte Frau und fragte ihn streng: Wie kommst du dazu, in deinem Geschichtsunterricht zu erzählen, die Oktoberrevolution habe sich infolge eines Schadens im Telefonnetz nicht über das ganze Land ausbreiten können? Simrock verteidigte sich mit dem Argument: Die Kinder wollten es so hören, und um die geht es schließlich. Kabitzke geriet außer sich und schrie: Wenn du schon mit solchen Halbwahrheiten arbeitest, dann darfst du doch zumindest nicht verschweigen, daß die Telefonstörung inzwischen längst behoben ist. Dabei schwollen seine ohnedies schon riesigen Brüste so an, daß Simrock Angst bekam und versprach, sich zu bessern. Er wünschte, Kabitzke wäre ein Mann. Er ging zu Leonie, um sich auszuweinen, den ganzen Weg hielt er gewaltsam die Tränen zurück. Doch an Leonies Stelle lag Ruth unter dem Tisch und las ein Buch, das nur aus weißen Blättern bestand. Sie hielt es Simrock hin und sagte, sie verstehe eine bestimmte Passage nicht. Simrock wollte sie nicht kränken, darum erklärte er, aus welchen Gründen der Autor ausgerechnet diese Seite leergelassen hatte. Seine Erklärung kam ihm selbst auf erstaunliche Weise überzeugend vor. Als er Ruth das Buch zurückgeben wollte, sah er, daß sie ausgezogen unter dem Tisch lag.

Er sagte: Darum hast du mir das Buch gezeigt, und Ruth sagte: Ich habe gleich gemerkt, daß du ohne Hose gekommen bist. Simrock sah erstaunt, daß Ruth die Wahrheit gesagt hatte. Er dachte so angestrengt nach, daß ihn der Kopf schmerzte, doch ihm fiel immer nur der Satz ein: Wenn sie recht hat, hat sie recht. Er legte sich zu ihr, und ihm war, als sagte Ruth: Na also.

Als er wach wurde, meinte er, seine Bewegungen noch zu spüren, auch wenn er jetzt ruhig lag. In der Küche, hörte er, hantierte seine Mutter schon, doch erst in einer halben Stunde, zeigte die Uhr, würde sie an die Tür klopfen und ihn zur Eile mahnen. Aus dem Dämmer des Zimmers fiel ihn der Gedanke an Selbstmord an. Simrock erschrak bis zum Schweißausbruch, doch je öfter er das Wort vor sich hin dachte, um so weniger machte es ihm Angst. Eine Überlegung wie tausend andere, sagte er sich. Was ihn so erschreckt habe, müsse die unbewußte Angst gewesen sein, es spreche mehr für als gegen den Selbstmord. Dann fand er das unlogisch. Wenn tatsächlich mehr dafür als dagegen sprach, dann sei Angst ja unangebracht; denn dann sei Selbstmord die bessere Lösung, fürchten aber müsse man sich nur vor der schlechteren. Kühl und nüchtern habe er die Gründe abzuwägen, was bestimmt leichter gesagt sei als getan, dennoch könne man von einem intelligenten Menschen eine solche Anstrengung verlangen, diese möglicherweise letzte seines Lebens. Vor kopflosem Selbstmord, sagte er sich, müsse er sich hüten.

Er machte sich daran, die Argumente zu sortieren, doch er kannte sie alle bis zum Überdruß. Er wünschte, für solch einen Anlaß ein paar neue Gesichtspunkte zu finden, sah aber keine. Die einzige Neuigkeit weit und breit war der mögliche Selbstmord selbst. Er wäre ein Ende aller Sorgen, zugleich ein Ende der Hoffnung. Was, fragte sich Simrock, wiegt schwerer, meine Sorgen oder meine Hoffnungen? Dann, nachdem er sich einigemal die Frage wiederholt hatte, ohne ernsthaft über eine Antwort nachzudenken, verdächtigte er sich, einfältig und falsch zu sein, weil ihm zum Bewußtsein kam, daß er sich niemals das Leben nehmen würde, aus keinen noch so guten Gründen. Er stand auf, öffnete das Fenster und holte tief Luft. Er sagte: »Ich und mir das Leben nehmen!« Er zog die Pyjamajacke aus und machte ein paar Kniebeugen, wobei er ein Gefühl der Zuversicht hatte wie lange nicht mehr. Als er zufällig sein strahlendes Gesicht im Spiegel sah, hielt er in der Bewegung inne und schämte sich.

Seine Mutter klopfte und rief die Zeit ins Zimmer. Simrock nahm sich vor, die kommenden Verrichtungen ehrlich zu tun, ohne sich zu verstellen, und schon beim Unwichtigen damit anzufangen. Es gelang ihm auch, die Mutter in der Küche so zu begrüßen, daß ihr kein Unterschied zu anderen Morgen auffiel.

Während er die Kaffeetasse an den Mund führte, dachte er: Es ist gar nicht so schwer, nach außen hin Kaffee zu trinken. Und während er eine Scheibe Brot mit Butter bestrich, dachte er: Wenn sie jetzt etwas sagen würde, könnte ich wahrscheinlich so tun, als unterhielte ich mich mit ihr. Beim Ei, nachdem der Aufpasser in ihm den Geschmack des Gelben von dem des Weißen getrennt hatte, kam ihm die Frage in den Sinn, welchen Eindruck er wohl auf andere machte. Er wollte nicht jemand sein, dessen bedrückte Stimmung und dessen leidendes Gesicht die Fröhlichen fernhielten. Bloß das nicht, sagte er sich, fürchtete zugleich aber die Mühen einer Haltung, die nicht seine war.

An einem Sonnabend im Juni ging Simrock in ein Tanzlo-

kal. Er erinnerte sich gut an die Zeit, da es ihm ohne viel
Aufwand gelungen war, die gefragtesten Mädchen in sein
Zimmer einzuladen, und er glaubte, daß eine solche Fähigkeit ebensowenig verlorengehen konnte wie etwa die,
zu schwimmen oder radzufahren. Zuvor hatte er sich die
beiden einzigen Lehrerinnen der Schule genau angesehen,
die unverheiratet waren. Die eine war streng und schroff,
den Kindern wie den Kollegen gegenüber, und man näherte sich ihr nur versehentlich oder aus dienstlichen
Gründen. Simrock hielt es für möglich, daß ihre Mannlo-
sigkeit und ihr Mißmut Hand in Hand arbeiteten, daß also
mit der Behebung des einen Übels das andere sich von
selbst erledigt hätte. Doch schien ihm, da sie zudem nicht
besonders hübsch war, das Risiko eines Irrtums zu groß.
Die zweite ledige Lehrerin, Ines Wohlgemuth, hielt er für
eine Denunziantin.
Simrock wurde vom Kellner an einen Tisch geführt, an
dem zwei Soldaten saßen. Er bestellte Wein, obwohl er
sich auf dem Weg ins Lokal vorgenommen hatte, Sekt zu
trinken. Er fragte sich, ob er eine Frau oder ein Mädchen
kennenlernen wollte. Die Soldaten hatten sehr junge Gesichter, gerötete Kindergesichter, fand Simrock. Während
er sie betrachtete, kam es ihm abwegig vor, daß für ihn und
für einen der beiden dieselbe Frau oder dasselbe Mädchen
in Betracht kommen könnte.
Die Musik, die gleich begann, war so unförmig laut, daß
Simrock das Gesicht verzog. Er sagte sich: So geht es hier
nun einmal zu, und wem das nicht paßt, der braucht ja
nicht zu bleiben. Einige Männer sprangen mit dem ersten
Takt auf und rannten mehr als sie gingen, um eine bestimmte Tänzerin zu ergattern, auch einer der zwei Soldaten. Simrock meinte, zu solch würdeloser Eile könnte er

sich nie entschließen. Er dachte: Aber wer sich zu fein dafür ist, der kommt zu spät.

Der übriggebliebene Soldat sah unzufrieden aus, wohl weil er nicht schnell genug reagiert hatte, oder weil er kein Mädchen sah, auf das er zustürzen mochte. Simrock lächelte. Dann ermahnte er sich, daran zu denken, daß er keine Frau hatte und hergekommen war, diesen Mißstand zu beheben. Er sah sich gründlich um: Der größere Teil des Publikums befand sich auf der Tanzfläche, an den Tischen saßen nur die übriggebliebenen und solche Gäste, die schon als Paar gekommen waren und erst dann tanzen wollten, wenn sie auch Lust dazu hatten. Simrock fand keine Frau heraus, die ihn in Unruhe versetzte. Er fürchtete auf einmal, daß jene Unruhe, in die er als junger Mann beim Anblick einiger Mädchen geraten war, ihn heute nicht mehr befallen konnte.

Er trank Wein und wartete ungeduldig auf das Ende des Tanzes und auf den Beginn des nächsten. Er versuchte sich auszumalen, wie er beim ersten Ton der neuen Runde aufspringen und in Richtung der Frau stürzen würde, die er sich nun vornahm herauszufinden. Daß er sich dabei lächerlich vorkommen mußte, zählte jetzt weniger als die Aussicht auf einen ersten Erfolg seit langem. Eigentlich, sagte er sich, möchte ich gar nicht so sehr mit einer Frau schlafen, wie wieder einmal mit einer Frau geschlafen haben. Die Vorstellung, dabei an eine Frau zu geraten, die nichts anderes wollte, als wieder einmal mit einem Mann geschlafen zu haben, war ihm aber unangenehm.

Als die Tanzpause gekommen war und Tänzerinnen wie Tänzer wieder auf ihren Plätzen saßen, sah Simrock, vier Tische entfernt, eine Frau, die ihm gefiel. Sie schien älter als die meisten der Mädchen, die allein in das Lokal gekommen waren; Simrock schätzte sie auf dreißig. Die drei anderen Frauen, mit denen sie an einem Tisch saß, kannte sie offenbar nicht, denn deren Gespräch ging an ihr vorbei. Sie fächelte sich mit der Speisekarte Luft zu. Simrock beobachtete, daß sie mit niemandem im Blickwechsel stand, auch daß sie – wie viele Leute, die sich ihrer Einsamkeit schämen – versuchte, einen beschäftigten Eindruck zu erwecken. Er ließ sie nicht aus den Augen und saß, seine eigene Scham unterdrückend, auf dem Sprung, bis er bemerkte, daß die Kapelle das Podium verlassen hatte. Sein rechtes Bein kniete fast, bereit zu einer Art Tiefstart, neben dem Stuhl, ohne von Simrock dorthin befohlen worden zu sein. Er brachte es langsam in eine unverfängliche Position zurück und sah erleichtert, daß zumindest der hübschen Frau nichts von seinen Vorkehrungen aufgefallen war.

Die Pause dauerte länger, als Simrock die Spannung halten konnte. Sein Blick glitt immer öfter von der Frau ab, während er sich sagte, daß es zu keines Schützen Sicherheit beitrage, sein Ziel endlos lange im Visier zu halten. Er kippte den Wein in sich hinein und hoffte, auf diese Weise in Stimmung zu geraten.

Dann, von einem Moment auf den nächsten, überfiel ihn der Verdacht, sein ganzes Unglück ergebe sich aus einer kläglichen Meinungslosigkeit. Sooft er in die Situation gekommen war, eine Meinung vorzutragen, habe er stets, so mußte er denken, die von den anderen erwartete gewählt. So hatte er mit der Zeit die Fähigkeit verloren, eigene Meinungen zu bilden, wie eine Katze, der nur tote Mäuse vorgesetzt werden, nach und nach das ihr angeborene Geschick verliert, lebende zu jagen. Es kam Simrock vor, als befinde er sich in einem Augenblick großer Klarheit und Verwirrung zugleich. Wenn jemand ihn in dieser Sekunde nach seiner Weltanschauung gefragt hätte, wäre es ihm unmöglich gewesen zu antworten. Statt der selbstverständlichen Auskunft, er sei Kommunist, hätte er sich jetzt die Frage gestellt, worauf er eine solche Behauptung denn stützen wolle, außer darauf, daß er dieselbe Auskunft schon immer gegeben hatte. Ihm war zumute, als sei er tief und vorbehaltlos in ein Bekenntnis gefallen; und als stopfe ihm dies Bekenntnis für alle Zeiten den Mund und lasse ihm nur die Wahl, es entweder immer aufs neue zu wiederholen oder aber als Abtrünniger dazustehen. Die Vorbehaltlosigkeit war es, die sein Unglück ausmachte, die Mißachtung seiner selbst, die er sich über Jahre nicht eingestanden hatte. Wer alle seine Vorbehalte aufgibt, dachte er, gibt der sich nicht selbst auf? Er spürte Zorn, auch auf Kabitzke, auch auf all jene, die taten, als sei Bedenkenlosigkeit die äußerste Tugend, vor allem aber auf sich. Er sehnte sich danach, jemand zu sein, der an den wenigen wichtigen Angelegenheiten, die es gab, identisch mit sich selbst teilnahm und nicht als einer, dessen Meinung bis in alle Zukunft vorhersehbar und darum unwichtig war. Er wünschte zum Kommunismus eine innigere Beziehung, als sich immer nur akkurat an landesübliche Regeln zu halten, die, wie er in diesem Augenblick zu verstehen glaubte, verbesserungswürdig waren.

Darüber verpaßte er den Anfang der Musik. Er schrak auf, als um ihn herum das Gerenne schon angefangen hatte, zuerst vermißte er seine beiden Soldaten. Dann fand er die Frau an ihrem Tisch, und ihm war, als habe sie flüchtig zu ihm hergeschaut. Er dachte, daß er sich nun wirklich beeilen müsse. Die Frau zündete sich eine Zigarette an, worauf ein junger Mann, der eben bei ihr angekommen war und sie zum Tanz auffordern wollte, weiterging und so tat, als habe er ein anderes Ziel. Simrock stand zögernd auf. Er sah einen zweiten Mann, einen der prächtigsten im Saal, vor der Frau stehenbleiben und die Formalität des Sich-verbeugenmüssens lässig hinter sich bringen, während er schon die Tanzfläche im Auge hatte. Simrock sah die Frau lächeln und etwas sagen und ihre Zigarette, wie zum Beweis, ein wenig anheben, und wie der schöne Mann gleichgültig tat und der letzten übriggebliebenen Tischgenossin der Frau zunickte, die sich sofort erhob und ihm folgte. Simrock setzte sich wieder. Er wartete ab, bis alle tanzten, die tanzen wollten, und somit eine gewisse Konsolidierung der Situation eingetreten war. Dann stand er wieder auf und ging zu der Frau. Er stellte fest, daß ihr Haar, das aus der Entfernung nur braun gewesen war, einen rötlichen Schimmer hatte. Er sagte: »Darf ich mich einen Moment zu Ihnen setzen?«

Die Frau sagte: »Ja?«

Jetzt, da er ihr Gesicht dicht vor sich sah, dachte er: Gottseidank, daß es mir auch aus der Nähe angenehm ist. Er setzte sich, wie man sich für wenige Worte setzt, und beschloß ein Experiment: Ein Gespräch zu führen, in dem die Regeln der Konversation keine Rolle spielten, in dem es nur darum ging, sich präzise mitzuteilen. Er meinte, es werde ihm gegen die Verlegenheit helfen, vielleicht auch die Frau ein wenig verlegen machen oder zumindest ihre Neugier wecken.

Er sagte: »Ich möchte Sie kennenlernen, würde mich aber freuen, wenn das möglich wäre, ohne zu tanzen.«

Die Frau sagte: »So, Sie würden sich freuen.«

Simrock verstand, warum sie ihrer Stimme einen spöttischen Klang gab. Er wünschte, er könnte noch einmal an seinen Tisch zurückgehen und den Dialog in Gedanken

vorbereiten. Er sagte: »Ich vermute, so wie ich hergekommen bin, um eine Frau kennenzulernen, sind auch Sie
hier, um einen Mann kennenzulernen.«

Er war neugierig, ob die hübsche Frau auf seinen Ton ein-
gehen würde. Er wäre natürlich bereit gewesen, sich einer
anderen Art von Gespräch anzupassen, hoffte aber, sie
möge nicht allzu tief unter seiner liegen. Dies habe, fand
er, wenig mit Überheblichkeit zu tun, mehr wohl mit der
Tatsache, daß die Achtung vor Menschen im Allgemeinen
nicht unbedingt dieselben Gründe hat wie die Zuneigung
zu einer einzelnen Person.

Die Frau sagte: »Nehmen wir einmal an, Sie hätten recht.
Wie aber kommen Sie darauf, daß ausgerechnet Sie es sind,
den ich kennenlernen möchte?«

Diese Antwort hielt Simrock für ermutigend. Er sagte:
»Das habe ich nie behauptet, weil es sich erst erweisen
muß. Weil ich gesehen habe, daß Sie allein sind, sitze ich
hier, und ich wünschte mir, ich könnte Sie neugierig auf
mich machen.«

Hinter ihrem Lächeln sah er einen Anflug von Spannung,
und ihr Blick kam ihm wohlwollend vor.

Die Frau: »Können Sie sich denn nicht vorstellen, daß jemand nur deshalb in ein Tanzlokal geht, weil die Gesellschaft der vielen Leute ihm Vergnügen macht? Ich spreche
von einem Vergnügen, das nicht über diesen Raum hin-
auswill.«

Simrock: »Das kann ich mir vorstellen, doch leicht fällt es
mir nicht. Ich würde nie auf eine solche Idee kommen. Die
meisten hier betreiben ihr Vergnügen mit einer Ernsthaftigkeit, die verdächtig ist. Sehen Sie sich doch um.«

Die Frau wirkte amüsiert und sah Simrock nur noch fester
an. Sie schien eine Antwort geben zu wollen, die sie selbst

komisch fand, dann winkte sie aber ab und schwieg wie jemand, der nicht voreilig sein möchte.

Simrock: »Wenn es Ihnen lieber ist, daß ich meine Absichten erst später gestehe und bis dahin versuche, Ihr Wohlwollen zu gewinnen, so sagen Sie es mir bitte.«

Die Frau: »Das hört sich an, als stünden Ihnen die unterschiedlichsten Programme zur Verfügung.«

Simrock: »O nein. Verstehen Sie meine Worte bloß nicht als Prahlerei, denn in Wirklichkeit sind sie ein Armutszeugnis.«

Die Frau lachte. Sie machte Simrock aufmerksam, daß der Stuhl, auf dem er saß, ihm nur für die Dauer der Tanzrunde, die gleich zu Ende sein mußte, zur Verfügung stand. Es kam Simrock wie eine Aufforderung vor, sich etwas einfallen zu lassen, und er lud sie an die Bar ein. Die Frau gab ihm einen Blick zur Antwort, den Simrock verstand wie die Frage: Sind Sie sich auch im klaren, worauf Sie sich einlassen? Sie steckte Zigaretten und Feuerzeug in ihre Handtasche und ging vor ihm her, um die Tanzfläche herum, zur Bar. Simrock betrachtete ihre Beine, und er dachte, bevor er zu urteilen anfing: Die Blicke gehen mir immer noch flink wie in alter Zeit, nur das Reden strengt mehr an.

Zwei Wochen dauerte es, bis Simrock mit der Frau vereinbarte, in ihre Wohnung zu ziehen. Es war eine Zeit der Schwerelosigkeit, in manchen Augenblicken, dachte Simrock, sogar des Glücks. Er verlor vorübergehend das Gefühl, es bedeute eine gewaltige Kraftanstrengung, jeden Morgen neu leben zu wollen und durchhalten zu müssen bis zum Abend. Nach der Schule fuhr er an seinen Cafés vorbei, in sein neues Zuhause, auch der Schuldienst kam ihm leichter vor. In den Stunden war er weniger angestrengt als sonst und darum besser. Einmal nahm Kabitzke ihn zur Seite, zwinkerte mit beiden Augen und sagte leise: »Du wirst dich doch nicht etwa schon wieder . . .« Er machte ein schlaues Gesicht und drohte mit dem Zeigefinger, aber Simrock fand ihn nicht aufdringlich. Er sagte sich, Veränderungen müßten sehr unscheinbar sein, um von Kabitzke nicht wahrgenommen zu werden. Er zwinkerte zurück und fühlte sich so wenig von Kabitzke getrennt wie lange nicht mehr.

Die Wohnung war ein ehemaliger Kolonialwarenladen, in dem es nach Vanille roch. Als Simrock am ersten Abend im kleineren der beiden Zimmer, dem ehemaligen Lagerraum, stand und verwundert schnupperte, erklärte ihm die Frau, sie habe damals die Wahl zwischen diesem und einem anderen Laden gehabt, in dem es aber, stärker noch als hier nach Vanille, nach Insektenpulver gerochen habe. Sie hieß Antonia, mit Nachnamen Kramm, und war jünger, als Simrock vermutet hatte, achtundzwanzig. Am ersten Abend brühte sie türkischen Kaffee, nachdem sie ihr Tanzkleid gegen Jeans und einen weiten grauen Pullover getauscht hatte, wie ein Soldat, der seine Uniform keine Sekunde länger als nötig tragen möchte. Seine Küßversuche wehrte sie ab, offenbar nicht in der Absicht, sie ein für allemal zu unterbinden, sondern auf eine eher erzieherische Art, so als wollte sie sagen: Du wirst dich wohl etwas gedulden können. Obwohl er nicht mehr nüchtern war, beherrschte sich Simrock und hielt seine Hände still. Schließlich, als auch der Kaffee ihn ein wenig zur Besinnung gebracht hatte, konnte er denken: Sie hat recht, auf den einen Abend kommt es nicht an.

Eine Weile hielt er sich zurück und sagte sich, es sei nicht Antonia Kramms Schuld, daß er so lange ohne Frau auskommen mußte. Dann aber kam der Augenblick, an dem ihr Mund mit den weißen Zähnen darin ihm überzeugender schien als alles andere, und er machte von neuem den Versuch, Antonia zu küssen. Diesmal wehrte sie ihn entschiedener ab, und Simrock war ernstlich gekränkt. Er kam sich hinters Licht geführt vor. Er verschränkte die Arme vor der Brust und schwieg.

Antonia sagte: »Unter den paar Männern, die ich bisher kennengelernt habe, war nicht einer, mit dem ich mich nur deshalb hingelegt hätte, um etwas gegen aufkommende Langeweile zu tun. Diese Angewohnheit möchte ich nicht aufgeben.«

Das fand Simrock überzeugend. Ihm war, als habe Antonia aus dem Meer von möglichen Sätzen genau den einen herausgefischt, der ihn wieder zur Vernunft bringen konnte. Er war bereit, sich zu entschuldigen, doch Antonia war so freundlich, daß er übergangslos mitlächelte, auf seine Uhr sah und überrascht tat, wie schnell die Zeit vergangen war.

Am nächsten Tag, dem Sonntag, fuhren sie in die Umgebung Berlins, Antonia kannte eine menschenleere Badestelle. Die Art, wie sie während der Bahnfahrt die Abgeschiedenheit des kleinen Sees pries, machte Simrock unruhig, und tatsächlich küßte sie ihn im Wasser und lag am Ufer nackt neben ihm, hinter einer Festung aus Fliederbeerensträuchern und Farnen. Dies war nun die erste Frau nach Ruth, so also sah die erste Frau nach Ruth aus.

Simrock fragte sich, ob seine Freude von der einen konkreten Frau neben ihm verursacht wurde, oder ob sie die ganz gewöhnliche Folge einer solchen Situation war. Er fragte sich, ob es ihm jemals gelingen würde, beim Zusammen-sein mit einer Frau Ruth zu vergessen, bis er merkte, daß er an Ruth überhaupt nicht gedacht hatte. Ruth kam ihm nur auf Umwegen ins Bewußtsein, nicht als Person, der er sich immer noch verbunden fühlte, sondern als jemand, der Merkmale und Gewohnheiten besaß, die ihn zu Verglei-chen zwangen. Ruth hatte die Augen meist offen, die hier aber hält sie geschlossen. Die hier ist, wie soll ich sagen, dachte er, die ist so versunken und schwebt, Ruth dagegen war derber und fröhlicher und gesprächsbereiter. Die hier hat so kleine Zähne.

Er fragte sich auch, wieviel er der hübschen Frau wert sein mochte; und ob es eine Auszeichnung war, daß sie sich ihm jetzt schon hingab, oder ob es ihrem gewohnten Ver-halten entsprach. Dann tauchte er in heiße Zufriedenheit und dachte mit einer letzten Anstrengung, wie einfältig es sei, Unvergleichbares miteinander zu vergleichen.

An fast jedem Abend der beiden folgenden Wochen ging Simrock in Antonias Wohnung. Er hatte verschiedene Gründe dafür: vor allem wollte er herausfinden, ob Ver-trautheit entstehen konnte, und dabei wollte er sowenig Zeit wie möglich verlieren. Er hütete sich aber, die Rolle des Beobachters zu übertreiben, denn er war ja ein Wer-bender, ein Mann, der nicht nur eine verehrungswürdige Person suchte, sondern selbst eine sein wollte.

Antonia schien seine Besuche genauso wichtig zu nehmen wie er. Simrock schloß das aus der Selbstverständlichkeit, mit der sie immer da war, und aus ihrer schlecht überspiel-ten Enttäuschung, als er ihr eines Abends sagte, am näch-sten könne er nicht kommen. Er freute sich darüber.

Einmal sagte sie: »Wahrscheinlich vergleichst du mich

immer wieder mit deiner Frau. Ich verstehe das, trotzdem ist es mir unangenehm.«

Überrascht fragte Simrock, wie sie nur darauf komme.

Antonia sagte: »Du siehst mich manchmal merkwürdig an. Interessiert und doch abwesend.«

Sie verdiente Geld mit Schreibarbeiten, die sie nicht als Angestellte machte, sondern freiberuflich im Auftrag verschiedener Leute, die vorwiegend, wie sie es ausdrückte, aus dem künstlerischen Bereich kamen. Sie schien genug zu verdienen, doch hielt es Simrock in diesen ersten zwei Wochen nicht für gut, nach Einzelheiten zu fragen. Außerdem kümmerte es ihn nicht besonders. Mehr Lust hatte er auf andere Informationen, und Antonia gab bereitwillig Auskunft, sobald sie irgendeine Neugier bei ihm wahrnahm.

Einmal legte sie ungefragt eine Art Glaubensbekenntnis ab, daß Simrock die Haare zu Berge standen. Sie behauptete, vor Jahren schon gemerkt zu haben, daß Aufrichtigkeit hierzulande nur dann gefragt sei, wenn der Aufrichtige und die Vielzahl seiner Vorgesetzten übereinstimmten. Seither könne ihr Politik gestohlen bleiben. Auf dem besten Weg, sagte sie, eine Sozialistin aus dem Bilderbuch zu werden, sei diese Erkenntnis über sie gekommen, und seither habe sie sich alles, was mit Politik zu tun hat, möglichst vom Leib gehalten. In der Schule habe sie so überzeugend ihr Pensum heruntergelogen, daß es für die Universität reichte. Leider sei auch beim Studium der Physik, das sie fälschlicherweise für exakt gehalten habe, die Notwendigkeit zu Bekenntnissen übermächtig geworden. Ihre Tarnung sei drei Semester lang tadellos gewesen, dann habe eine Unvorsichtigkeit ihr wahres Wesen für Augenblicke durchscheinen lassen. Die Verantwortlichen hätten an dem hervorschauenden Zipfel gezurrt und gezerrt, bis sie unbeherrscht ihre Abneigung gegen die sterbenslangweiligen Lehrveranstaltungen eingestand, die nichts mit ihrer Physik zu tun hatten und die Lust auf das Wichtige zerfraßen. Noch während ihrer Klage habe sie gespürt, welchen entscheidenden Fehler sie gerade beging, doch die schadenfrohen Gesichter hätten sie so herausgefordert, daß sie nicht imstande gewesen sei aufzuhören. Eine Woche später habe man sie von der Universität gewiesen, obwohl, wie sie immer noch glaube, eine brauchbare Physikerin aus ihr geworden wäre. Mittlerweile sei Physik für sie ein Wort wie viele andere, sie habe sich ein Leben in der ihr größtmöglichen Unabhängigkeit einzurichten versucht. Vielleicht könne man es eine ihrer wenigen Überzeugungen nennen, daß die Menschen lernen müßten, einander in Ruhe zu lassen. Jedenfalls empfände sie diejenige Gesellschaft als die angenehmste, in der genügend Inseln der Abgeschiedenheit vorhanden seien, auch wenn man sie nicht zu betreten wünsche. Das Wissen um einen Ort, wohin niemand einen verfolgen könne, bedeute eine große Beruhigung, die man ihrer Meinung nach keinem Menschen verwehren dürfe. In der hiesigen Gesellschaft aber seien solche Inseln für gewöhnliche Sterbliche unerreichbar, und der tägliche Zwang des Miteinanderverkehren-Müssens sei die traurige Regel.

Simrock sagte: »Davon, wie Sozialismus um uns herum betrieben wird, sollte ein gescheiter Sozialist sich nicht abschrecken lassen.«

Antonia sagte: »Ich bin nur ein gescheiter Mensch, denn man hat mich so erschreckt, daß mich die Sache nicht mehr interessiert. Ich sehe in meiner Interesselosigkeit die einzige Methode, mich zu schützen.«

Simrock sagte: »Du wirst nicht so dumm sein, den elektrischen Strom abzulehnen, nur weil dir das Licht einer bestimmten Lampe nicht gefällt.«

Sie antwortete mit ungewohnter Entschiedenheit, spitzfindige Vergleiche hätten bei so ernsten Dingen nichts zu suchen, und wenn Simrock Wert auf Frieden lege, solle er lieber in einer anderen Gegend nach Gesprächsstoff suchen. Simrock nannte sie sein schwarzes Schätzchen, und später im Bett sagte er, sie sei das reaktionärste Frauenzimmer, neben dem er jemals zu liegen gekommen sei.

Simrock beschloß, das Thema im Auge zu behalten, fürs erste heimlich. Er wollte sich nicht ein Verhältnis zu Antonia vorstellen, in dem ein grüner Gegenstand unwidersprochen für gelb gehalten werden durfte, weil er meinte, Opportunismus sei in einer Liebesbeziehung nicht weniger verfehlt als an jedem anderen Ort.

Während Antonia neben ihm in dem engen Bett schlief, spürte er eine missionarische Vorfreude bei dem Gedanken, sie zu verwandeln. Er dachte: Ich werde noch viel an ihr finden, das ich ändern möchte, und das ist eine gute Aussicht. Eine Frau, die wie ein fertiges Haus ist, in das man einzieht, möchte ich nicht.

Er weckte Antonia, um ihr zu sagen, daß er sie liebte. Eine kleine Pause entstand, dann streichelte sie mit dem Handrücken seine Wange, wie zum Dank für eine Aufmerksamkeit. Nach einer neuen Pause, während der Simrock nicht verstand, warum sie so zurückhaltend reagierte, sagte sie, sie verstehe seine Situation sehr gut. Sie verstehe sehr gut, sagte sie, daß er die Leere, die in ihm entstanden sei, gründlich satt habe. Nur warne sie ihn davor, in seiner Ungeduld voreilig zu sein. Simrock machte Licht und sah sie erstaunt an.

Sie sagte: »Ich war auch schon verheiratet.«

Sie erzählte ihm die Geschichte ihrer dreijährigen Ehe, wobei Simrock abwechselnd sich ihren Mann vorzustellen versuchte und an Ruth dachte.

Zwei Wochen nach der ersten Begegnung zog er also zu ihr, mit einem Gütertaxi voll Zeug.

Vor Beginn der Sommerferien gab Simrock den folgenden schriftlichen Antrag bei seiner Schulleitung ab:

Hiermit bitte ich darum, während der großen Ferien, und zwar über meinen Urlaub hinaus, von allen schulischen Verpflichtungen entbunden zu werden. Ich habe den Wunsch, in dieser Zeit in einem Betrieb der volkseigenen Industrie eine körperliche Arbeit zu tun.

Begründung: Zwölf Jahre ununterbrochener Lehrertätigkeit haben bei mir zu einer gewissen Routine geführt. Da ich ausschließlich auf die Einhaltung des Lehrplans und auf den Schulbetrieb fixiert war, hat sich, wie ich fürchte, meine Perspektive verengt. Leicht könnte mir der Blick für Geschehnisse außerhalb der Schule verlorengegangen sein. Ich möchte Kontakt zu Menschen aus anderen Lebensbereichen als meinen gewohnten suchen, nicht nur, um ihre Probleme zu erfahren, sondern auch, um mein Gefühl der Zugehörigkeit aufzufrischen. Nicht zuletzt bin ich neugierig zu sehen, inwieweit mein Unterricht den Erfordernissen unserer Wirklichkeit entspricht.

Ich hoffe, aus meiner Begründung wird deutlich, daß ich die Zeit, um die ich bitte, als einen Urlaub zur Weiterbildung betrachte. Die Qualifizierung, die ich mir davon verspreche, ist mir nicht weniger wichtig als die meisten

Kenntnisse, die ich mir in früheren Jahren auf Kursen und
bei Lehrgängen aneignen konnte.
Ich hoffe sehr, daß meinem Antrag stattgegeben wird, und
verbleibe mit sozialistischem Gruß, Karl Simrock.
Obwohl er mit keinem Satz gelogen hatte, enthielt Simrocks Brief nur die halbe Wahrheit. Eines seiner Motive
mußte er der vorgesetzten Behörde, die über den Antrag
zu befinden hatte, verschweigen, denn es hineinzuschrei-
ben wäre einer Kündigung gleichgekommen: Simrock
wollte in Erfahrung bringen, ob er körperliche Arbeit ertragen konnte. Bevor er sich entschloß, in seinem Unterricht auch andere Ansichten als solche vorzutragen, die
von ihm gefordert wurden, hielt er es für vernünftig zu
prüfen, ob die möglichen Folgen ihn nicht überfordern
würden. Es schien ihm denkbar, sogar naheliegend, daß
schon ein nicht allzugroßes Maß an Eigenmächtigkeit
seine Entlassung nach sich ziehen könnte. Die Augen davor zu verschließen, sagte er sich, wäre dumm, und er fand
nichts Charakterloses daran, die Konsequenzen gleichsam
zu simulieren, um so zu erforschen, ob sein Vorhaben
nicht am Ende nur den Tausch einer Qual gegen eine andere bedeutete. Was bin ich für ein gründlicher Mensch,
dachte er.
Antonia, die den Brief in die Schreibmaschine geschrieben
hatte, aber nichts von den Hintergründen wußte, nannte
Simrock einen Wahnsinnigen. Sie sagte: »Ich halte es für
eine merkwürdige Art von Originalitätssucht, sich um
harte Arbeit zu reißen. Ich weiß, wovon ich spreche, denn
ich selbst bin während meines Studiums ein paarmal zu
freiwilligen Arbeitseinsätzen angehalten worden. Als ich
Heu von einem glühend heißen Feld auf den Wagen laden
mußte, ist mir das Entsetzen so in alle Glieder gefahren,

daß ich es nicht vergessen werde. Und du versprichst dir Anregungen.«

Simrock sagte: »Lies doch, bevor wir uns streiten, was in meinem Antrag steht.«

Antonia winkte ab und sagte: »Oder, was schlimmer wäre, es handelt sich um eine besondere Form von Langeweile. Auf der Suche nach einem Nervenkitzel kommt Simrock auf die drolligsten Einfälle. So wie man anderswo nach Afrika auf Safari geht, so will er in die Fabrik.«

Simrock: »Lies den Antrag.«

Antonia: »Hinter deinen Sätzen, die klingen, als wären sie auf den Geschmack des Empfängers zugeschnitten, steckt etwas anderes. Du verschweigst irgendeine Absicht, und wenn wir uns länger kennen würden, wäre ich dir böse. Erkläre mich aber nicht für dumm, indem du mir einzureden versuchst, es sei nicht so.«

Simrock sagte sich, Antonia habe nicht die Festigkeit, um in seine Pläne eingeweiht zu werden. Zu leicht könnte sie für Opposition halten, was in Wirklichkeit Anteilnahme war, ein Versuch, den Zustand seiner Umgebung und seine sozialistischen Hoffnungen einander näherzubringen. Er sagte zu Antonia, an ihrem Verdacht sei schon etwas Richtiges, doch bitte er sie trotzdem, nicht länger auf einem Gespräch über Hintergründe zu bestehen. Mit mangelndem Vertrauen habe das nichts zu tun, eher mit eigener Unsicherheit, denn er komme sich wie ein Seiltänzer vor, dem schon eine kleine Ablenkung zum Verhängnis werden könnte.

Antonia sagte: »Hältst du es nicht für wahrscheinlich, daß auch deine Schulleitung dich durchschaut und mißtrauisch wird?«

Simrock dachte nach, dann schüttelte er überzeugt den

Kopf. Er rückte zu Antonia hin und brachte sie dazu, ihn zu umarmen. Dann fand er es unanständig, auf diese Weise ein Thema zu wechseln. Er dachte daran, wohin der ersatzweise Austausch von Zärtlichkeiten mit Ruth geführt hatte, und er sagte sich, in einer Liebesbeziehung müsse Sprachlosigkeit von Anfang an bekämpft werden.

Als sie im Bett lagen, dachte er, nun wolle er wirklich mit der Liebe beginnen, und er verriet ihr alle seine Absichten. Er erzählte von seiner Unzufriedenheit mit der Vergangenheit und der Gegenwart, von der Lust auf Veränderungen und von seiner Furcht, den Folgen dieser Lust nicht gewachsen zu sein. Antonia hörte aufmerksam zu. Als er geendet hatte, sagte sie zuerst nichts, und Simrock fragte sich, ob er nicht doch voreilig gehandelt hatte. Dann sagte sie: »Ich kann dich verstehen. Aber es ist so weit weg von mir, daß ich dir nicht raten kann.«

Simrock fühlte sich erleichtert, denn die Last der Verschwiegenheit war er nun los. Antonia war eingeweiht und scheute sich nicht, ihre Inkompetenz einzugestehen, auch das erleichterte ihn. Er umarmte sie heftig und war ihr näher als an allen bisherigen Tagen.

Dem Antrag wurde freundlich und zur rechten Zeit stattgegeben. Während einer Versammlung teilte es der Schuldirektor den übrigen Lehrern nicht nur mit, er lobte Simrock auch für dessen Volksverbundenheit und für sein Bemühen, die Beziehung zur Praxis, diesen Lebensquell aller wahren Kommunisten, wie er sagte, nicht abreißen zu lassen. Simrock fühlte sich unwohl in seiner plötzlichen Rolle als Vorbild, und die Blicke einiger Kollegen waren ihm so peinlich, daß er darüber die Erleichterung vergaß, die die Nachricht doch hätte auslösen müssen.

Kabitzke, der einige Stühle entfernt saß, schickte ihm einen zusammengefalteten Zettel, auf dem stand: *Alle Achtung, das hätte ich dir gar nicht zugetraut.* Simrock spürte, wie er rot wurde. Eine grimmige Lust überkam ihn, sich zu melden und in das Wohlwollen hinein zu sagen, er ziehe seinen Antrag zurück, denn: er habe nur demonstrieren wollen, wie kinderleicht es sei, mit Gesten, die jedem zur Verfügung stünden, sich Anerkennung zu verschaffen und für einen guten Mann gehalten zu werden. Doch mit Rücksicht auf seine Pläne schwieg er und versuchte zuzuhören.

Auf dem Nachhauseweg dachte er: Daß ich geschwiegen habe, ist der beste Beweis für meine Entschlossenheit. Er fing an zu überlegen, was für eine Arbeit er annehmen wollte. Jetzt schon wurde ihm klar, daß nicht eine der Tätigkeiten, die in Betracht kamen, ihm angenehm sein würde: denn der Sinn des Unternehmens bestand ja gerade darin herauszufinden, wie unangenehme Arbeit auf ihn wirkte. Er fragte sich, ob schwere Arbeit wohl dasselbe sei wie unangenehme Arbeit. Dann dachte er: Natürlich wird unangenehme Arbeit unangenehm auf mich wirken. Doch er ließ die Hoffnung nicht los, daß das, was er für unangenehm hielt, ohne es zu kennen, nach einiger Zeit zu einer Beschäftigung würde, mit der ein ehemaliger Lehrer sich anfreunden könnte.

Um zwei Straßenecken folgte er einem ratternden Geräusch, bis er einen Mann sah, der die Straße mit einem Preßluftbohrer aufriß. Ein anderer Mann räumte die Asphaltbrocken auf einen Haufen, beide hatten ihre Hemden ausgezogen und sahen, als Simrock näher herantrat, erschöpft aus. Ihre Oberkörper und Arme konnten nicht vor Schweiß glänzen, denn eine graue Staubschicht hatte sich darauf abgesetzt, auch auf den Gesichtern, aus denen die Zähne wie aus Negermündern herausstrahlten. Nach einer Weile wechselten sie sich ab. Die Räumarbeit schien leichter als das Bohren zu sein, weil für den, der wegräumte, eine Wartezeit entstand, bis der andere den nächsten Brocken aus der Asphaltdecke gelöst hatte. Simrock stellte sich zum erstenmal vor, wie zerschlagen er Abend für Abend auf sein Bett fallen würde, er malte sich die Gliederschmerzen aus und spürte schon jetzt die Apathie und hörte, wie er seinen Entschluß verfluchte. Er dachte: Es muß ja nicht gleich die schwerste Arbeit sein. Einer der Männer sagte laut: »Geh mal weiter, Vater, sonst kostet das hier Eintritt.«

Simrock murmelte eine Entschuldigung, die er selbst nicht verstand, und machte sich auf den Heimweg. Als er so weit entfernt war, daß die Arbeiter ihn nicht mehr sehen konnten, öffnete er seine Aktentasche, um zu prüfen, ob Thermosflasche, Handtuch, Brotbüchse und eine Hose zum Wechseln darin unterzubringen waren. Das Hemd klebte ihm am Rücken, er ging über den Damm auf die Schattenseite und hatte das Empfinden, als habe er eine erste Beziehung zur Arbeit aufgenommen. Zu Hause bat er Antonia, ihn am nächsten Nachmittag bei der Arbeitssuche zu begleiten.

Da er nicht sagen konnte, wohin er gehen wollte, nannte sie ihn kindisch und sagte: »Man kann doch nicht einfach aus der Wohnung gehen und sich eine Arbeit suchen, wie man ein Taxi sucht, gleichgültig, aus welcher Richtung es kommt. Man muß doch eine Vorstellung haben.«

Simrock entgegnete, er wolle mit ihr in ein Industrieviertel fahren und sich an Ort und Stelle erkundigen, welche Möglichkeiten es für ungelernte Arbeitskräfte gäbe. Sich vorher Vorstellungen zu machen, bedeute nichts anderes, als sich Enttäuschungen zu bereiten. Er sagte: »Daß du draußen stehst und auf mich wartest, auch wenn niemand mich brauchen sollte, wird mir helfen.«

Antonia sagte: »Na gut.«

Simrock sah ihr an, daß sie immer noch anderer Meinung war. Er erinnerte sich, daß er bei Ruth immer erst dann mit Zustimmung hatte rechnen dürfen, wenn der Kampf der Argumente bis zum letzten ausgefochten war.

Er erzählte Antonia, wie er unter Ruths Unnachgiebigkeit gelitten hatte; wie er von dieser Unnachgiebigkeit angesteckt worden war, und wie sie beide sich viele Male im Verlauf der Ehe nur deshalb auf eine ganz bestimmte Weise verhielten, weil sie es zufällig so und nicht anders angekündigt hatten; wie er zu der Einsicht gekommen war, daß die Liebe zu retten letzten Endes nichts anderes bedeute, als die Unnachgiebigkeit zu bekämpfen, und wie allmählich der Wunsch in ihm verblaßte, dieser guten Erkenntnis zu folgen. Während er erzählte, sah er, daß Antonia nickte und nickte, wie jemand, der sich an eigene Erfahrungen erinnert.

Das zweite Werk am nächsten Tag war eine Brotfabrik. Der Pförtner nannte Simrock den Namen eines Mannes, bei dem er sich melden sollte, und Simrock hatte ärgerlich lange damit zu tun, diesen Mann zu finden. Zwischendurch ging er zweimal ans Werktor und bat Antonia, nicht ungeduldig zu werden. Dann stand er endlich dem Mann, der winzig klein und mürrisch war, gegenüber und fragte, ob er einen Monat lang während der Sommerferien beschäftigt werden könne. Der Mann fragte auf eine Art, die für Simrocks Ohren herausfordernd klang, nach Spezialkenntnissen, und Simrock antwortete: »Ich bin Lehrer für Deutsch und Geschichte.«

Der Mann sagte: »Wir sind doch kein Kindergarten.«

Simrock antwortete: »Meinen Sie, ich bin mit der Absicht hergekommen, in Ihrer Fabrik erzieherisch zu wirken?« Er reichte dem Mann das Blatt Papier mit der Einwilligung der Schulbehörde und hatte, während der Mann las, viel Lust, ihm das Schreiben wieder aus der Hand zu nehmen und zu sagen, er möchte nur von freundlichen kleinen Männern angestellt werden. Der Mann gab ihm das Papier zurück und fragte, ob es sich bei dem einen Monat um eine Bewährung in der Produktion handelte. Er schien sein Mißtrauen jetzt zu überwinden, doch noch unschlüssig zu sein, ob er es durch Mitgefühl oder Schadenfreude ersetzen sollte. Simrock sagte: »Arglos suche ich nach Arbeit, und ich bin auch bereit, Geduld dafür aufzubringen. Doch von Ihnen unter die Lupe genommen zu werden, ist mir einfach zu mühsam.«

Er wandte sich ab und ging quer über den großen Hof, wobei er nicht sicher war, ob in der Aufregung seine Richtung stimmte. In derselben Straße, erinnerte er sich, gab es noch drei oder vier andere Fabriken; dann fand er es merkwürdig, sich nach kaum zwanzig Minuten der Trennung so auf jemanden zu freuen, wie er sich jetzt auf Antonia freute. Er hörte hinter sich her schnelle Schritte, drehte sich jedoch nicht um. Der kleine Mann rief: »Bleiben Sie mal stehen, Mann. Hier gibt es immer was zu tun, im Sommer besonders.«

Er führte Simrock, der sich verhielt, als müsse ihm gut zugeredet werden, in ein Büro und half ihm, einen Fragebogen auszufüllen. In die Spalte, in der die Art der Beschäftigung näher bezeichnet werden sollte, schrieb er eigenhändig: *Hofaufsicht/Transportarbeiter*. Als er die Lohngruppe eintrug und über die Möglichkeit sprach, mit Hilfe von Überstunden den nicht üppigen Verdienst aufzubessern, fragte sich Simrock, ob er nicht einen Fehler beging. Bis auf den Brotgeruch gefiel ihm nichts hier, in jedem Winkel steckte die Unlust, bereit, alle Neulinge anzufallen. Der kleine Mann blieb ihm auch nach dem Fragebogen zuwider, und die Arbeit, die aller Voraussicht nach aus Schleppereien und Handlangerdiensten bestand, konnte wohl keinem Menschen behagen; was also, fragte er sich, suchte er noch hier? Dann dachte er, es könne kein gutes Zeichen sein, wenn sich jemand immer wieder mit denselben Einwänden befaßte, um sie immer wieder auf dieselbe Weise zu entkräften. Der Mann sagte: »Hier mußt du unterschreiben.«

Simrock las sorgfältig jede Eintragung, wobei es ihn Überwindung kostete, die Schreibfehler des Mannes nicht zu korrigieren. Dann unterschrieb er den Arbeitsvertrag und fand, der kleine Mann sehe zufrieden aus, als habe er einen Gefangenen gemacht. Er ging zu Antonia, die sich über die lange Wartezeit beklagte, die sich aber sofort mit Simrock freute, als sie von seinem Erfolg hörte. Zwischen den Fabriken fanden sie ein stilles Lokal, in das sie sich setzten und in dem sie auf eine gute Zeit anstießen.

Unruhig und mit wechselnden Gefühlen sah Simrock dem Arbeitsbeginn entgegen. In manchen Augenblicken konnte er es kaum erwarten, von der Brotfabrik aufgesogen zu werden, die in seiner Vorstellung aufregender war als an jenem Morgen, und die Tage kamen ihm wie tot vor, wie ein Hindernis aus überflüssiger Zeit. Dann wieder fürchtete er, die Arbeit werde ihn erdrücken, die Arbeit werde so schrecklich sein, daß jeder Preis gezahlt werden mußte, um Lehrer zu bleiben.

Einmal sagte er zu Antonia: »Es ist, als triebe mich ein böser Geist. Kaum fange ich an, mich ein wenig wohl zu fühlen, schon suche ich neue Gefahren. Ich möchte diese Gefahren zwar gern hinter mir haben, wer sagt mir aber, daß nicht neue Unzufriedenheit auf mich wartet.«

Antonia sagte: »Du sprichst mir aus der Seele. Ich an deiner Stelle würde sofort in die Fabrik gehen und den Vertrag rückgängig machen. Selbst eine Vertragsstrafe würde ich in Kauf nehmen.«

Simrock aber sagte: »Nein, nein, wir dürfen mein augenblickliches Wohlbefinden nicht überschätzen.«

Die letzten Tage in der Schule unterrichtete er mit der linken Hand. Die meisten Kinder waren mit ihren Gedanken schon an den Ferienorten angekommen, und Simrock hätte, auch wenn ihm daran gelegen wäre, sie nicht zu konzentrierter Arbeit bringen können. Da die Lehrpläne erfüllt waren und die Zensuren feststanden, hielt er es für das beste, die restlichen Stunden auf eine möglichst kurzweilige Weise zu verbringen, denn er konnte sie nicht einfach ausfallen lassen. Er wählte einige Bücher aus, aus denen er vorlesen ließ oder selber vorlas und denen er zutraute, die Gemüter der Schüler zu erregen. Doch kein einziges besaß Kraft genug, die Kinder aus ihrer Abwesenheit zurückzuholen. Simrock erschrak, als er mit ansehen mußte, wie die Versezeilen und Sätze an den Ohren der Kinder zerschellten. Er sagte sich, dies könne weder an den Sätzen noch an der Ferienstimmung liegen, die Gleichgültigkeit der Kinder müsse andere Ursachen haben. Ich selbst, sagte er sich, habe meinen traurigen Anteil daran; denn ich habe sie zielstrebig erzogen, sich vor jeder Beunruhigung zu verschließen.

Wie groß auch Simrocks Lust war, etwas dagegen zu unternehmen, so sicher wußte er, daß an diesem späten Tag – mit einem Bein schon in den Ferien – keine Zeit mehr dafür war. Im neuen Jahr wollte er den Kindern unbedingt beibringen, wie wichtig es ist, sich beunruhigen lassen zu können. Er sagte: »Ihr könnt nach Hause gehen, denn für heute gibt es nichts mehr zu tun.«

Dann endlich, an einem Montag, begann die Fabrik. Simrock hatte seine ältesten Kleidungsstücke angezogen, ein verfärbtes Hemd, das unter dem Namen Arbeitshemd seit Jahren ungetragen im Schrank lag, und eine aus der Mode gekommene Hose. In der Straßenbahn sah er, wie anders die Fahrgäste waren als jene, mit denen er gewöhnlich zum Dienst fuhr, fast drei Stunden später. Doch er war zu aufgeregt, um seinen Eindruck genau zu prüfen, er schlug, wie manche es taten, die Zeitung auf und hoffte, dahinter wie ein Arbeiter auszusehen. Er betrachtete eine übernächtigte Frau und einen traurigen jungen Mann, die er links und rechts neben den Rändern seiner Zeitung im Blickfeld hatte; dann fragte er sich, warum er nicht auffallen wollte, ob es erstrebenswert sei, unauffällig zu sein, und warum so viele Leute sich davor fürchteten aufzufallen. Doch in seiner Unruhe war ihm folgerichtiges Denken unmöglich, er nahm sich vor, sich irgendwann später dieselbe Frage noch einmal zu stellen. Er achtete auf die Haltestellen, denn er kannte die Gegend nicht und wollte sich einige ihrer Merkmale einprägen.

Als er über den Hof ging, an dessen Ende er seinen kleinen Mann stehen und sich mit anderen Männern unterhalten sah, trat er auf eine runde Eisenstange und verlor das Gleichgewicht. Während er fiel, entdeckte er den Handwagen, der die Stange verloren haben mußte, dann schmerzten seine beiden Knie so heftig, daß er sekundenlang nicht aufstehen konnte. In der Aktentasche war die Thermosflasche zerbrochen, der eisgekühlte Tee lief heraus und sammelte sich in einer kleinen Senke dicht vor Simrocks Gesicht. Simrock sah die Männer ihm zu Hilfe über den Hof kommen, zwei anderen voran den kleinen mit erkennendem Grinsen, und er stand mühsam auf, bevor sie ihn erreicht hatten. Er sagte: »Es geht schon.«

Der kleine Mann erzählte den beiden anderen, wer da eben so ungeschickt aufs Maul gefallen war, während Simrock erleichtert spürte, daß seine Knie einigermaßen schmerzlos funktionierten. Einer der Männer hob die Eisenstange auf und warf sie auf den Handwagen. Simrock erkundigte sich nach dem Umkleideraum, der kleine Mann beschrieb ihm den Weg und sagte, Simrock solle sich anschließend bei ihm melden. Simrock dachte: Der tut jetzt schon so, als gehörte ich ihm. Doch im Weggehen sah er ein, daß ihm schließlich jemand Anweisungen geben mußte, bevor er zu arbeiten begann.

Im Umkleideraum saßen ein paar Männer, die ihn nicht beachteten. Er schüttete den Inhalt seiner Aktentasche in einen Abfalleimer, bis auf die durchnäßte Arbeitshose. Er bemühte sich, die Gründe für seine üble Laune bei sich selbst zu suchen, nicht bei dem kleinen Mann und nicht auf dem Hof. Er sagte sich, am Ende habe er wohl erwartet,

auf irgendeine wunderbare Weise in die Arbeit hineinzu-
geraten, ganz allmählich und angenehm, am Ende habe er
wohl mit Aufmerksamkeiten und mit anspornendem Bei-
fall gerechnet. In die Arbeit zu geraten, sagte er sich, sei
aber nur möglich, indem man anfange zu arbeiten, nicht
über Gedanken und nicht mit Gefühlen, sondern mit den
Händen.

Den ganzen Vormittag über hatte Simrock Koks zu schaufeln. Zu Beginn spürte er einen beruhigenden Vorrat an
Kraft, doch er war klug genug, seinen Schwung zu brem-
sen und nicht dem kurzlebigen Arbeitseifer der Neulinge
zu erliegen. Auch so dauerte es nicht lange, bis jeder
Handgriff begann, ihn Überwindung zu kosten, und nach
einer halben Stunde schon fühlte er sich erschöpft. Der
Koksberg, den er in ein Kellerloch zu schaufeln hatte, war
nach einer Stunde zum grimmigen Feind geworden. Er
fügte Simrock Verletzungen zu und nahm ihm den Atem.
Kurz hatte Simrock das Empfinden, weniger zu arbeiten
als zu kämpfen. Doch bevor er über den Unterschied und
die Grenze zwischen beidem nachdenken konnte, fraß die
nächste Schaufel wieder seine ganze Aufmerksamkeit.

Lange vor dem Mittag setzte er sich in den Koksstaub und
war zu müde, nach einer Limonade zu gehen. Er ärgerte
sich, wie sehr er während der Arbeit von jeder übergeord-
neten Absicht getrennt war. Er wurde so vollständig von
der körperlichen Anstrengung beansprucht, daß nichts
mehr von dem existierte, um dessentwillen er auf diesen
Hof gekommen war. Dann sagte er sich: Auch das gehört
zu den Erfahrungen, die ich mir verspreche.

Der kleine Mann entdeckte ihn und sagte: »Auf diese
Weise werden wir aber keine Freunde, Meister.«

Simrock stand auf und machte sich von neuem über den

Koks her, wobei es ihn nur wenige Sekunden lang störte, daß der kleine Mann stehengeblieben war und ihm zusah. Er schaufelte langsam und nur kleine Mengen, die Bewegungen nahmen ihn wieder gefangen. Er dachte nur noch an die Schaufel in seinen schmerzenden Händen und an die langsam wachsende Zahl der Schritte, die er mit jeder neuen Ladung gehen mußte, weil das Kellerloch sich immer weiter von dem Kokshügel entfernte, und an das ferne Glück der Mittagspause. Ein Augenflimmern lang schwebte Antonia über dem Hof und winkte mit einem schattigen Tuch. Da straffte Simrock seine Haltung und beschleunigte ein wenig das Tempo, als müsse vor Antonia geheimgehalten werden, wie sehr die Arbeit ihn zerschlug. Jede Schaufel war eine kleine Verzweiflungstat, Simrock verlor den Überblick und war mehr überrascht als erleichtert, als der Koks vom Hof verschwunden war. Er suchte sich einen Besen und kehrte auch den Staub ins Loch, dann versteckte er sich in einer Hofecke bis zum Mittag.

Im Speiseraum fiel er auf, weil er inmitten von Leuten, die zumeist mit Mehl zu tun hatten und dementsprechend aussahen, der einzige schwarze Mann war. Das Grinsen, das er auf einigen Gesichtern bemerkte, während er mit seinem Tablett durch den Saal ging, und die laut gerufene Frage, ob er im Versuchslabor an der Entwicklung einer neuen Brotsorte beteiligt sei, störten ihn nicht. Er sagte sich, daß er ein komisches Bild bieten würde, wollte er auf jeden Spott reagieren, den Anfänger nun einmal durchzustehen haben. Er setzte sich an einen Tisch zu einer Frau und einem Mann, den er aus dem Umkleideraum wiedererkannte, und fing ohne Hunger zu essen an. Sein Körper war noch nicht zur Ruhe gekommen, der Rücken tat ihm weh, als sei er an mehreren Stellen durchbohrt, anlehnen

konnte er sich nicht. Er dachte, einem Brotfabrik-
arbeiter würde die Arbeit in einer Schulklasse auch
nicht leichtfallen, nur hätte er hinterher keine Rücken-
schmerzen.

Dann kam es ihm unsinnig vor, einen Monat lang die
Miene eines besseren Herrn tragen zu wollen, somit jeden
Kontakt zu verhindern und verlassen seine Arbeit zu tun.
Er tat neugierig und sah sich um. Er lächelte den wenigen,
die sich noch für ihn interessierten, munter zu, als habe er
Verständnis für ihre Neckerei, als hätte er sich an ihrer
Stelle nicht anders verhalten.

Der Mann an Simrocks Tisch fragte: »Wie bist du ausgerechnet auf diesen Betrieb gekommen? Gibt es nicht genug
andere?«

Simrock schloß ihn in sein Lächeln ein und glaubte, ihm sei
eine Prüfungsfrage gestellt worden. Er sagte: »Das war
nichts als Zufall. Ihr wart das allererste Werktor, das an
meinem Weg lag.«

Der Mann: »Dann bist du ein Pechvogel.«

Simrock: »Warum? Mir gefällt es hier gut.«

Der Mann: »Dann bist du ein Glückspilz.«

Er ließ den Blick fallen, als habe sein Interesse an Simrock
sich erschöpft. Simrock gab sich Mühe, auszusehen wie
jemand, dem es hier wirklich gefiel. Er aß mit gespieltem
Appetit und versuchte, heiter dabei auszusehen, bis er sich
fragte, ob der Frohsinn unter der Schicht aus Koksstaub
überhaupt zu erkennen war.

Er fragte den Mann: »Wird der Koks niemals automatisch
in den Bunker geschüttet? Ich meine, gibt es an dem Wagen, der ihn bringt, keine Kippvorrichtung?«

Der Mann: »Du brauchst keine Angst zu haben, es liegt jeden Tag ein Haufen für dich da.«

90

Simrock: »Aber es müssen doch riesige Mengen sein? Brennen die Backöfen nicht rund um die Uhr?«

Der Mann sah Simrock belustigt an, ohne Sympathie. Er schüttelte den Kopf, schob seine Suppenschüssel zur Seite und begann mit dem Nachtisch. Einige Sekunden später, während Simrock noch überlegte, worin sein Fehler bestanden hatte, sagte die Frau: »Die Backöfen sind elektrisch.«

Nach dem Mittag wies der kleine Mann Simrock an, auf einem Wagen mitzufahren und Kästen mit Brot und Kuchen in die Kaufhallen der Stadt zu bringen. Zuvor mußte Simrock sich waschen, seine Hände brannten dabei fast unerträglich, von beiden hatte sich Haut gelöst. Er stöhnte, während er sich den Schmutz von Gesicht und Armen rieb. Er dachte, daß er jetzt, wenn er nur gewollt hätte, im Strandbad liegen könnte, Antonia neben sich und ein eiskaltes Bier auf dem Bauch. Eine Scham, die ihm kindisch vorkam, die er aber nicht überwinden konnte, hielt ihn davon ab, sich nach der Sanitätsstelle zu erkundigen und sich die Hände verbinden zu lassen.

Der Fahrer des Wagens war ein junger Mann mit anmutig langen Haaren. Er drückte, als Simrock sich neben ihn gesetzt und gedankenlos seine Hand ausgestreckt hatte, diese Hand so kräftig, daß Simrock einen leisen Schrei nicht zurückhalten konnte. Der junge Mann schrieb dies zuerst seinen Bärenkräften zu und grinste, dann sah er Simrocks Wunden und stammelte eine Entschuldigung. Simrock mußte erzählen, wie er zu den Verletzungen gekommen war, und den jungen Mann ergriff ein Mitleid, das er bis zum Feierabend nicht mehr loswurde. Simrock sollte keinen Brotkasten anfassen mit diesen Händen und das Fahrerhaus am besten gar nicht erst verlassen. Sein Protest fiel mäßig aus. Was für ein gutes Herz doch die Arbeiterklasse hat, dachte er.

Aus einem der Geschäfte brachte der junge Mann ihm Johannisbeersaft mit und aus einem anderen Schokoladeneis. Er hieß Boris und träumte von einer Reise nach Liverpool. Kurz vor Feierabend sagte er: »Wenn du Lust hast, kannst du deine ganzen vier Wochen mit mir fahren. Ich würde das schon klären.«

Während Simrock vor der letzten Kaufhalle im Wagen wartete, überlegte er, ob er das Angebot annehmen könnte. Eilig suchte er nach Gründen, die dafür sprachen. Er dachte: Wenn ich hinter einer Arbeit her bin, die meine Kräfte nicht übersteigt, und ich finde eine solche Arbeit, warum sollte ich sie da ablehnen? Nur weil sie weniger unangenehm ist, als ich mir Arbeit in einer Fabrik vorgestellt habe? Und zum anderen, sagte er sich, ist die Absicht, eine gute Beziehung zu Arbeitern herzustellen, auf keine Weise besser zu verwirklichen als dadurch, daß ich gute Beziehungen zu einem bestimmten Arbeiter aufnehme.

Durch die Wagenscheibe sah er Boris mit einigen ineinandergestellten leeren Kuchenkisten kommen, und er spürte Zuneigung zu dem jungen Mann, der ja auch, mit gutem Recht und jenseits aller Herzlosigkeit, auf Arbeitsteilung hätte bestehen können. Er dachte: Das könnte dem bösen Schicksal so passen, daß ich sein Angebot ablehne.

Antonia wußte Kamillendämpfe und eine gelbe Salbe gegen die Wunden. Bevor sie sich an die Heilung machte, sagte sie: »So mußte es ja kommen.«

Simrock hatte seine Hände auf den Tisch gelegt wie zwei Orden für Tapferkeit vor dem Feind. Antonia behandelte ihn wie einen Todkranken und erinnerte ihn an seine Mutter in ihren wenigen guten Momenten. Ihr Gesicht verriet, daß sie nur aus Erbarmen die Vorwürfe, von denen sie zum Überlaufen voll war, unterdrückte. Simrock hatte Lust, sie zu streicheln, doch die Salbe auf seinen Handflächen, die an der Luft einziehen mußte, hielt ihn davon ab. Statt dessen versuchte er, sie so anzusehen, wie er sie gestreichelt hätte.

Als Antonia einen Strohhalm in das Glas mit dem Fruchtsaft hineinsteckte, damit er trinken konnte, ohne das Glas in die Hand nehmen zu müssen, durchströmte ihn ein Gefühl von Geborgenheit. Plötzlich ahnte er, daß bei allen seinen Unternehmungen ihm nichts von so großem Nutzen sein könne wie das Glück mit einer Frau, und er fühlte sich auf dem Weg dorthin. Er überlegte, ob Antonia sich wohl ihrer Bedeutung für ihn bewußt war; dann stellte er sich und bald ihr die Frage, was wichtiger sei: zu lieben oder geliebt zu werden. Antonia wollte wissen, wie er ausgerechnet jetzt darauf komme.

Simrock sagte: »Meine Frage ist nicht so aus der Luft gegriffen, wie es dir scheint. Wenn ich mich in den zurückliegenden Jahren wohl gefühlt habe, dann habe ich es immer nur auf äußere Umstände zurückgeführt. Ich habe dann gedacht: Oh, ist das angenehm warm in diesem Zimmer. Oder: Ein Glück, daß meine Uhr sich wiedergefunden hat. Oder: Es tut gut, hinters Ohr geküßt zu werden. Natürlich war mir klar, daß es nicht von selbst im Zimmer warm wird, doch es war mir auf eine nebensächliche Weise klar. Als sei die Person, die geheizt hat, Teil einer Maschine, die nur dazu da ist, für mein Wohlbefinden zu sorgen. Heute erst wird mir bewußt, daß die Zufriedenheit, die ich meine, immer mit dem absichtlichen Handeln einzelner zu tun hat. In diesem Augenblick bist du die Ursache.«

Antonia sagte: »Ich glaube, für mich wäre es wichtiger, geliebt zu werden.«

Simrock sagte: »Ich bin noch ein wenig unentschieden, doch bei mir ist es wohl umgekehrt.«

Antonia bestand darauf, Simrocks Hände noch einmal mit der Salbe einzureiben, bevor er zu Bett ging. Das tat sie, nachdem sie ihn gebadet hatte, dann half sie ihm beim Hinlegen, deckte ihn zu und machte Späße mit ihm wie mit einem kleinen Kind. Er lag ein paar Minuten still, während sie im anderen Zimmer beschäftigt war, und wußte nicht, ob er an sie oder an seinen ersten Arbeitstag denken sollte. Er fing mit dem einen an und wechselte dann zum anderen über, als sei die Reihenfolge seiner Gedanken von großer Bedeutung. Doch dann spürte er eine Müdigkeit, die ihm unwirklich vorkam, weil sie um so vieles schwerer war als alle Müdigkeiten, an die er sich erinnern konnte. Mit seinen letzten Gedanken dachte er daran, daß er Antonia sowieso nicht hätte umarmen können mit seinen eingesalbten Händen, und daran, daß er die Handflächen nach oben halten mußte, um die schöne Bettwäsche nicht zu beschmutzen.

Am nächsten Morgen klebte Antonia Pflaster auf Simrocks Handflächen und gab ihm den Rat, nur solche Arbeiten anzunehmen, die erstens die Handflächen nicht beanspruchten und zweitens so sauber waren, daß man sich danach nicht zu waschen brauchte. Simrock sagte, in der Brotfabrik gäbe es nur solche Arbeiten.

Tatsächlich fuhr er die ganzen vier Wochen als Beifahrer

Kuchen und Brot aus. Wie angekündigt, hatte Boris mit den zuständigen Leuten verhandelt und war nicht auf Schwierigkeiten gestoßen, da ihm schon lange ein Beifahrer versprochen war. Der einzige Widerstand ging von dem kleinen Mann aus, der, als er Simrock wieder neben Boris sitzen sah, den Wagen anhielt und barsch fragte, was Simrock einfalle, sich die Arbeit frei nach Schnauze auszusuchen. Boris antwortete ihm, er solle Schirrmeister fragen und im übrigen die Pfoten von der blanken Motorhaube nehmen, sonst müsse er ihn überfahren, und das gehöre eigentlich nicht zu seiner Arbeit. Simrock war der Auftritt unangenehm, dennoch empfand er Genugtuung, als der kleine Mann nichts tun konnte, außer böse zu blicken. Boris zählte durch die halbe Stadt hindurch Beispiele für das Geltungsbedürfnis des kleinen Mannes auf.

Schnell fand Simrock heraus, daß es an der Arbeit, an die er geraten war, keine Schönheiten zu entdecken gab. Er mußte seine Vorstellung von körperlicher Arbeit, die er nur aus Filmen, Büchern und Zeitungen und nicht aus eigener Erfahrung kannte, jeden Tag neu revidieren. Zuvor war ihm als die größte Gefahr die Überanstrengung erschienen, doch nun, da sie ihm auf seinem Beifahrersitz nicht mehr drohte, lernte er einen Feind fürchten, der bis dahin in seiner Rechnung überhaupt nicht vorgekommen war: die Langeweile. Von der landesüblichen Kunst ermuntert, hatte er die Hoffnung gehabt, die Arbeit enthalte über den physischen Vorgang hinaus ein Element, das auf magische Weise vom Arbeitenden Besitz ergreife, seine Persönlichkeit bereichere und ihn beflügle. Diese Hoffnung war nicht wie eine Vorfreude, die Simrock genau hätte bezeichnen können, eher glich sie einer verborgenen Empfindung, die sich nur unter ganz bestimmten Umständen bemerkbar macht; und jetzt erst, als er sich zu fragen begann, warum die Arbeit ihn enttäuschte, erkannte er ihr Vorhandensein.

Er dachte: Wahr ist natürlich, daß eine gewisse Anzahl von Menschen durch meine Arbeit mit Backwaren versorgt wird. Ebenso wahr ist aber auch, daß das für mich, solange ich die Kisten trage, absolut keine Rolle spielt. Gerade darauf aber müßte es doch ankommen: daß die Arbeit, während man sie tut, als wichtig und nützlich empfunden wird, und nicht nur dann, wenn man über sie nachdenkt. Als er nach ein paar Tagen schon ein wenig Routine hatte und nicht mehr dauernd fürchten mußte, alles falsch zu machen, suchte Simrock innerhalb der Arbeit nach etwas, worauf er sich freuen konnte. Einen ganzen Tag lang verhalf ihm das zu einer gewissen Neugier, denn er tat alles gründlich und konzentriert und wollte nichts übersehen. Aber er fand nur heraus, was ihm weniger lästig war und was mehr. Am angenehmsten war ihm noch, wenn er an den Nachmittagen den Wagen von Staub und Mehl zu säubern hatte; einmal hielt Boris den Schlauch und spritzte ihn ebenso naß wie das Auto, beim nächstenmal machte Simrock es nicht anders. Einmal, nachdem er prustend aus dem Strahl geflohen war und das klatschnasse Hemd vom Leib zog, kam ihm der Gedanke, daß der Wagen auch im Winter gereinigt werden mußte.

Als er Boris fragte, wie er ausgerechnet an diese Arbeit gekommen sei, erhielt er eine überraschend klare Auskunft: Erstens, sagte Boris, müsse er wohl oder übel einer Arbeit nachgehen, warum nicht dieser; zweitens müsse irgendwer diese Arbeit tun, warum nicht er; drittens sei es im Vergleich zu anderen Arbeiten, die er kenne, eine recht angenehme, und sie komme ihm inzwischen gar nicht mehr wie eine Plackerei vor. Doch wohl nur solange, sagte Boris, bis er eine bessere gefunden habe.

Nachdem Simrock erkannt hatte, daß die Brotausfahrerei ihm keine anderen Freuden bot als die allabendliche, wieder einen Arbeitstag hinter sich gebracht zu haben, fühlte er sich aber auch erleichtert. Es war wie das Nachlassen eines Drucks, der auf ihm gelastet hatte, solange er sich in einer unerforschten Situation befand. Jetzt waren ihm die Umstände einigermaßen klar, und der Rest der vier Wochen lag überschaubar und reizlos vor ihm.

Im selben Maße, wie sein Interesse an der Arbeit sich verlor, wuchs seine Neugier auf Boris. Zu seiner Freude merkte Simrock, daß es nicht mehr die Neugier war, die er mitgebracht hatte – wie man etwa Neugier mit in ein Theater bringt, ohne das Stück zu kennen –, sondern daß es sich um eine in der kurzen Zeit seiner Bekanntschaft mit Boris entstandene Neugier handelte. Er dachte: Daß ich ihn mag, hat nichts damit zu tun, daß ich mir vorgenommen habe, Arbeiter zu mögen.

Schon nach wenigen Tagen konnte er mit Boris in einem Ton sprechen, der nichts Gezwungenes hatte. Boris sah in der Tatsache, daß Simrock in seinem eigentlichen Leben Lehrer war, weder einen Grund für Hochachtung noch für Herablassung; er nahm diese Tatsache zur Kenntnis wie eine Information, die zwar nicht ohne Reiz war, für ihre gemeinsame Tätigkeit jedoch keine Bedeutung hatte. Einmal sagte er, Simrock habe einen Fehler gemacht, diese Ferienbeschäftigung anzunehmen, denn an der Küste ließe sich als Kellner in der Saison leicht das Dreifache verdienen. Simrock bedankte sich für den Tip und sagte, im nächsten Jahr werde er klüger sein. Dabei hatte er den Eindruck, als sehe Boris ihn mißtrauisch an, als spüre

Boris die unehrliche Leichtfertigkeit in seinen Worten, als fühle er sich aber nicht befugt, darauf hinzuweisen.

Boris war Junggeselle und wechselte während der vier Wochen gerade die Freundin, was zu seinem wichtigsten Thema wurde. Das neue Verhältnis hatte er schon angefangen, das alte aber noch nicht beendet, und ein ganz altes existierte irgendwo im Hintergrund. Simrock ließ sich nicht zu Empfehlungen verführen, weil er schnell begriff, daß Boris den Ratsuchenden nur spielte und in Wirklichkeit ein wenig prahlen wollte. Er freute sich, daß er an einen geraten war, der gesprächiger war als er selbst.

An einem Abend sagte er zu Antonia, daß er Boris gern einladen möchte. Antonia hatte nichts dagegen, Simrock selbst aber rückte, je länger er nachdachte, davon ab. Er sagte sich, leicht könnten ihre verschiedenen Interessen, die im Fahrerhaus gewiß verborgener blieben als an einem gedeckten Tisch, ihrem Verhältnis die Unbefangenheit nehmen. Er sagte sich auch, daß ihre Beziehung im Grunde gut genug sei, und daß er eine so natürliche Sache wie diese Beziehung nicht zum Experimentierfeld machen sollte. Lieber wäre ihm gewesen, wenn Boris ihn zu sich eingeladen hätte. Da solch eine Einladung aber ausblieb, dachte Simrock nach der Hälfte des Monats, er mache sich ganz überflüssige Sorgen, er mache sich um sein Verhältnis zu Boris ähnliche Sorgen wie ein Schwimmer, der mitten auf einem See erschrickt, weil ihm plötzlich einfällt, daß er nie schwimmen gelernt hat.

Einmal beluden sie bei großer Hitze ihren Wagen mit Brotkästen, und Simrock bat, schweißnaß und schlapp, um eine Pause. Er setzte sich auf das Trittbrett, Boris jedoch hörte nicht zu beladen auf, und Simrock sah, als er weitermachen wollte, daß die Arbeit ohne ihn getan war. Boris winkte zum Einsteigen, Simrock prüfte sein Gesicht und konnte nicht die Spur eines Vorwurfs darin finden. Während der Fahrt rechtfertigte er sich vor sich selbst damit, daß Boris solche Arbeit gewohnt war, er, Simrock, aber nur die Mühen des Nachdenkens kannte. Dann mußte er denken: Natürlich, er ist ja vierzehn Jahre jünger als ich! Es war ihm unangenehm, daß jemand, der kein Schüler war, sondern ein ausgewachsener Mensch, um so viel jünger sein konnte als er.

Einmal hielt Boris, als sie eine Panne hatten und auf den Abschleppwagen warteten, einen Vortrag über Arbeitsmoral: ihre Arbeit sei beim besten Willen nicht so, daß man sie lieben könne. Wenn jemand behaupte, es verschaffe ihm Genugtuung oder erfülle ihn mit Stolz, gefüllte Kästen von einem Ort an einen anderen zu schaffen, dann sei dieser Jemand entweder ein Lügner oder ein Idiot. Das Beste, was man mit dieser Arbeit anfangen könne, sei, sie sozusagen nebenbei zu tun, damit sie einem nicht allzusehr auf die Nerven gehe. Vor kurzem, und deshalb nur erzähle er das alles, sei eine Selbstverpflichtung von ihm verlangt worden. Er sagte: »Da habe ich was ganz Albernes unterschrieben. Ich habe mich genau zu der Arbeit verpflichtet, für die sie mich sowieso bezahlen. Gertrud hat gesagt, ich soll es tun, Fanny hat gesagt, ich soll es bleibenlassen, und beide haben irgendwie recht gehabt. Da hat für mich den Ausschlag gegeben, daß sie mich in Ruhe lassen, wenn ich unterschreibe, und daß sie mich nicht in Ruhe lassen, wenn ich nicht unterschreibe. Denk bloß nicht, ich habe andere Vorteile im Kopf gehabt, die gibt es nämlich gar nicht. Ich kenne welche, die unterschreiben alles, weil sie sich einbilden, auf diese Weise werden sie was. Aber das ist Blödsinn, denn schließlich gibt es viel mehr Unterschriften als gute Posten.«

Simrock fragte sich, ob Boris in ein paar Jahren wohl vor ähnlichen Entscheidungen stehen würde wie er heute. Dann trieb ihn etwas, das er sich nicht erklären konnte und das er später für die reine Gewohnheit hielt, Boris den Sinn von Selbstverpflichtungen nachzuweisen. Er sagte, zum einen wirkten solche Verpflichtungen anspornend auf jene, die ordentliche Arbeit nicht für selbstverständlich hielten; zum anderen seien sie ein gutes Mittel, sich selbst, gewissermaßen aus dem Nichts heraus, Auftrieb zu geben. Er führte den Nutzen von Selbstverpflichtungen an, auch in moralischer Hinsicht: ein Wettbewerb bedeute ja nicht nur höheren Leistungsdruck. Er stärke oder erzeuge gar erst das Gefühl, Teil eines Kollektivs zu sein und für etwas zu arbeiten, wofür andere zur selben Zeit auch arbeiteten. Boris unterbrach Simrock, der noch lange nicht am Ende war, mit den Worten, er möge ihn bei aller Freundschaft am Arsch lecken. Augenblicklich empfand Simrock alles, was er gesagt hatte und noch sagen wollte, als überflüssig.

Im zweiten Ferienmonat fuhren Antonia und Simrock nach Ungarn. Die Vorbereitungen lagen allein bei Antonia, sie war es, die den Plan für die Reise gefaßt hatte, sie redete Simrock gut zu. Sie behauptete, daß man, bevor man nicht gemeinsam verreist sei, sich auch nicht richtig kenne, und irgendwann gab Simrock nach. Noch nie hatte er sie so feurig argumentieren hören, sie war von einem Eifer, der ihm wie eine bisher unbekannte Seite ihres Wesens vorkam.

Er begann, je heftiger Antonia die Sache betrieb, selbst nach Argumenten für die Reise zu suchen, denn er wollte sich nicht mit ihr entzweien, doch auch nicht gegen die eigene Überzeugung bis nach Ungarn fahren. Er stellte eine Reihe von Gründen zusammen, zum Beispiel sagte er sich, während einer Reise könnten die vier Wochen Arbeit allmählich in ihm abklingen; oder er sagte sich, gute Tage im Ausland brächten ihn in die richtige Stimmung für die nach Schulbeginn bevorstehenden Kämpfe. Am bereitesten aber, seinen Widerstand aufzugeben, war er in dem Augenblick, als er sich fragte: Warum soll ich mit einer Frau, die es gern möchte und die ich liebe, im Urlaub eigentlich nicht nach Ungarn fahren?

Bekannte Antonias hatten ihnen ein Zimmer in einem kleinen Ort vermittelt, von dem aus man angeblich zu Fuß an den Plattensee gelangen konnte. Sie erreichten ihr Ziel mitten in der Nacht, mit dem Zug aus Budapest kommend. Simrock weckte Antonia und mußte ihr gut zureden, damit sie ausstieg, bevor der Zug weiterfuhr. Dabei wäre er auch lieber müde gewesen, das Gepäck blieb wie durch ein Wunder beisammen. Ihre Wirtin hatte ein Nachthemd aus grobem Leinen an. Sie war, wie es Simrock in seiner Erschöpfung vorkam, von einer geschäftsmäßigen Herzlichkeit, er konnte sie nur mit Mühe davon abhalten, den Herd anzuheizen und Essen aufzuwärmen. Er schlief ein, bevor Ruhe in das Haus gezogen war.

Als er am nächsten Vormittag aus dem Haus trat, zum erstenmal ausgeschlafen in Ungarn, fühlte er sich gleich wohl in dem Land und war froh über Antonias Hartnäckigkeit. Nach einigen Blicken ringsum hatte er das Empfinden, schon einmal in dieser Landschaft gewesen zu sein, er konnte es sich nur als Ausdruck seiner Zuneigung erklären. Dann dachte er: Die vielen Filme und das Fernsehen bringen das Erinnerungsvermögen der Menschen ganz durcheinander. Er fragte sich zu einer Bankfiliale durch, stellte sich in die Reihe und suchte herauszufinden, ob ihm etwa auch in diesem Raum etwas bekannt vorkäme.

Wenig später fand er die erste Begebenheit, deren Zeuge er in Ungarn wurde, so bestaunenswert, daß er beschloß, sie als ein Erlebnis im Gedächtnis zu behalten. Vor den Schalter trat ein Tourist und wollte Geld abheben. Er legte eine besondere Art von Scheck vor, er hatte bei einer Leipziger Bank Geld eingezahlt und wollte nun den Gegenwert haben. Die Kassiererin prüfte Scheck und Ausweis des Mannes und sagte dann in possierlichem Deutsch, der Scheck sei auf einen anderen Namen ausgestellt, sie aber dürfe nur solche Schecks annehmen, auf denen die erste und die zweite Unterschrift miteinander übereinstimmten. Der Mann sagte, er wisse das wohl, der Scheck sei auf den Namen seiner Frau ausgestellt, und die liege mit Fieber im Bett. Er sagte, sie brauchten das Geld nötig. Die Kassiererin bekam ratlose Augen und sagte traurig, auch in Ungarn seien Vorschriften Vorschriften. Der Mann nickte, blieb jedoch vor dem Schalter stehen, mitleiderregend und wundergläubig. Dann, als Simrock und die beiden Frauen vor ihm schon ungeduldig zu werden begannen, hatte die Kassiererin einen Einfall: Sie gab dem Mann den Scheck zurück, dazu einen Bogen Papier und einen Kugelschreiber, und forderte ihn leise, aber laut genug, daß Simrock es hören konnte, auf, die Unterschrift seiner Frau zu trainieren. Dem Mann war anzusehen, wie erstaunlich er ihren Vorschlag fand und daß er nicht viel von ihm hielt. Da jedoch kein anderer Weg zu seinem Geld führte, ging er an ein Stehpult und übte sich im Scheckfälschen. Bevor Simrock an die Reihe kam, legte der Mann der Kassiererin sein Blatt Papier vor, das mit etwa zehn Autogrammen beschrieben war. Die Kassiererin prüfte eins nach dem anderen, schüttelte bei den ersten den Kopf, dann sah sie unschlüssig aus; Simrock merkte ihr an, daß es ihr Mühe bereitete, die gelungenste Fälschung auszuwählen. Schließlich zeigte sie, nachdem sie das Papier aus der Nähe und aus der Ferne betrachtet hatte, auf eine der Unterschriften, und die Miene des Mannes verriet, daß sie auch nach seiner Ansicht die richtige Wahl getroffen hatte. Er übertrug die Unterschrift behutsam auf den Scheck, wobei er sich die Zungenspitze fast abbiß. Die Kassiererin prüfte wieder, dann gab sie ihm das Geld, mit einemmal unfreundlich. Der Mann verließ eilig den Raum, als müsse er eine Beute in Sicherheit bringen.

Simrock fand das Verhalten der Kassiererin unmöglich. Doch als er Antonia beim Frühstück gegenübersaß und davon erzählte, war er schon voller Bedauern darüber, daß in dem Land, in dem er lebte, eine solche Kassiererin nicht denkbar war. Antonia sagte, sie verstehe nur ganz verschwommen, worum es ihm leid tue, eigentlich verstehe sie es gar nicht, und sie bat ihn, es zu erklären. Simrock erwiderte, es gäbe ein Bedauern, das schon von demjenigen, der es empfinde, kaum verstanden werden könne; und der Versuch, es anderen verständlich zu machen, sei aussichtslos wie nur etwas.

Der Plattensee war von ihrem Quartier aus insofern zu Fuß erreichbar, als keine Sümpfe oder andere Hindernisse auf dem Weg lagen, und nur das konnte Antonias Bekannter bei seiner Behauptung im Sinn gehabt haben. Denn die Entfernung betrug dreizehn Kilometer, zum Glück gab es eine gute Omnibusverbindung.

Die ersten Tage verbrachten sie am Strand oder, verschiedene Delikatessen und Weine durchprobierend, in ihrem Zimmer. Simrock spürte von Morgen zu Morgen deutlicher, wie Antonias Prophezeiung sich erfüllte: Wie ihre Gegenwart ihm immer selbstverständlicher und angenehmer zugleich wurde, und wie der Umstand, daß sie vierundzwanzig Stunden am Tag beieinander waren, nur Zufriedenheit weckte und keinen Augenblick lang ein Gefühl des Überdrusses. Einmal dachte er: Tatsächlich trifft es zu, daß eine gemeinsame Reise sich in puncto Zusammengehörigkeit bezahlt macht. Ein andermal, während er am Strand Antonias Rücken mit Sonnenöl einrieb, sagte er sich: Nun brauche ich wohl nicht mehr darüber nachzudenken, ob ich sie wirklich liebe.

Nach einer Woche wurde das Wetter kühl. Die Wirtsfrau versicherte in einem Ton, als könnte der Temperatursturz auf einen Fehler von ihr zurückzuführen sein, die Kälte gehöre absolut nicht in diese Jahreszeit und sei bestimmt nicht von langer Dauer. Sie nannte eine Reihe lohnender Ausflugsziele, von denen Simrock, da die Namen so fremdartig klangen und so lang waren, Sekunden später kein einziges mehr wußte. Er schlug Antonia vor, die Zeit bis zur nächsten Wärme mit Lesen zu überbrücken; er habe, sagte er ihr, zwei Bücher mitgebracht, unter denen sie als erste wählen dürfe: das *Tagebuch* von Frisch, eine von seinem Heidelberger Vetter durch den Zoll geschmuggelte Seltenheit, und das *Impressum* von Hermann Kant. Doch Antonia hatte weder auf das eine Lust noch auf das andere, sie sagte, sie sei nicht tausend Kilometer weit geflogen, um etwas zu tun, was sich zu Hause ohne das Gefühl, wichtige Dinge zu versäumen, also besser erledigen ließe. Sie fände nichts dabei, sagte sie, wenn Simrock lese und sie sich derweilen im Lande umsehe. Am zweiten kühlen Vormittag brachte Simrock sie zum Bus, und er war mittlerweile überzeugt davon, daß ein wenig Trennung eine gute Zutat für ihren Urlaub sei.

Bis zum Mittag ging er spazieren und dachte über den Schulanfang nach. Es bedrückte ihn, nicht zu wissen, was er anderes als bisher mit den Kindern tun sollte, und ihm saß die Furcht im Nacken, die Unzufriedenheit könnte sein ständiger Begleiter werden und am Ende nur durch Gewöhnung ihren Schrecken verlieren. Auf einer Bank, die auf dem einzigen Hügel weit und breit stand und noch feucht vom nächtlichen Regen war, sagte er vor sich hin: »Mein Verhalten wird von Situationen abhängen, die in diesem Augenblick nicht vorauszusehen sind. Die einzige Festlegung, die ich jetzt schon treffen kann, ist: Ich will niemals wieder mit etwas einverstanden sein um der Ruhe willen.«

Im Restaurant saß er an einem Tisch mit zwei älteren Ungarinnen, die ihn für einen Westdeutschen hielten. Simrock sagte sich gutgelaunt: Wegen meines festen Blicks. Abwechselnd lobten beide seine vermeintliche Heimat über den grünen Klee und taten ihre hervorragenden Eindrücke kund, die sie auf gelegentlichen Reisen dorthin gewonnen hatten. Simrock ließ sie bei ihrem Glauben und wollte sich einen Spaß machen. Er gab sich für einen hessischen Geschäftsmann aus und warf mit so dreisten Ansichten um sich, daß er den Widerspruch der beiden Damen herauszufordern hoffte. Zum Beispiel sagte er, über die Verteilung der Macht in Europa sei das letzte Wort noch nicht gesprochen, auch in Ungarn nicht, und solange man Raketen nicht einsetzen könne, müsse man eben mit Geld operieren. Oder er sagte – flüsternd, weil er Angst hatte, sein dummes Gerede könnte an anderen Tischen gehört werden – , wenn er sich eine Weile hier so umsehe im Land, dränge sich ihm auf, daß die Juden und die Zigeuner schon wieder schön laut das Wort führten. Doch die Damen sahen ihn mit großen Augen an, bewundernd, kam es ihm vor, wie jemanden, der endlich ein offenes Wort auszusprechen wagt. Simrock erschrak über die Zustimmung, und nur sein Empfinden, ein unredliches Spiel angefangen zu haben, hielt ihn davon ab, den beiden Damen zu sagen, was sie in seinen Augen waren.

Im Zimmer setzte er sich ans offene Fenster, las Hermann Kants *Impressum* und wartete bald auf Antonia. Am späten Nachmittag, als die Sonne für ein paar Minuten durch die Wolken kam, hatte er das sichere Gefühl, Antonia müsse in diesem Moment auch an ihn denken und sich auf die Rückfahrt freuen und beschließen, nicht noch einmal ohne ihn herumzufahren. Die Sehnsucht nach ihr kam ihm übertrieben vor, da erst sieben Stunden seit der Trennung vergangen waren; aber er sagte sich, daß die Größe einer Sehnsucht nicht sosehr von der Zeit abhänge wie von Liebe. Dann legte er das Buch zur Seite und versuchte herauszufinden, ob er nicht jemand sei, der zu Übertreibungen neigte, nicht nur in seinen Gefühlen, sondern auch in dem, was er zu tun und zu unterlassen für richtig hielt.

Als er Musik vernahm, die ihm wie für Urlauber gemacht vorkam, ging er hinunter. Doch als er vors Haus trat, war von Musik nichts mehr zu hören.

Als Antonia um neun Uhr abends immer noch nicht zurück war, begann Simrock, an ein Unglück zu denken. Er bat die Wirtin, als Dolmetscherin mit auf die Polizeistation zu kommen, aber sie lachte über so viel Ängstlichkeit. Sie sprach die naheliegenden Vermutungen aus, die auch Simrock schon im Kopf herumgegangen waren, Zugverspätungen, Buspannen, unvorhergesehene Begegnungen mit Bekannten. Simrock wußte ja nicht einmal, wohin Antonia gefahren war. Die Wirtin gab ihm ein Gläschen Schnaps, während sie Simrocks Hasenherz ihrem Mann ins Ungarische übersetzte, und zwei Schlaftabletten für die Nacht. Sie konnte sich nicht erinnern, daß jemals in den letzten zehn Jahren eine Person aus ihrem Umkreis spurlos verschwunden wäre.

Simrock legte sich zu Bett. In der Dunkelheit und unter dem Einfluß der Schlaftabletten wuchsen seine Ängste zu einer Größe, die er selbst närrisch fand. Einmal war Antonia verunstaltet, dann den Blicken eines Ungarn auf den Leim gegangen, dann wieder lag sie zwischen Leben und Tod auf einem Operationstisch. Simrock konnte nichts dagegen tun. Zum Schluß sah er fast unbeteiligt den vorbeiflimmernden Bildern zu und dachte: Soll sich der Unsinn ruhig austoben. Kurz vor dem Einschlafen hielt er es für wahrscheinlich, daß Antonia, achtlos wie ein Kind, in dem unbekannten Land immer weitergegangen war und nun den Rückweg nicht mehr fand.

In der Nacht weckte ihn ein aufgeregtes Flüstern, das er zuerst nur als Geräusch wahrnahm. Er sah seine Wirtsfrau in der hellen Türöffnung stehen und Gesten machen, zu denen eigentlich lautere Worte gehört hätten; er setzte sich aufrecht hin und machte das kleine Licht an, bevor er verstand, daß unten die Polizei auf ihn wartete. Er fand seine Hosen nicht gleich und befürchtete das Schlimmste, die Wirtin wußte nicht, worum es ging.

Die Polizei waren zwei schnauzbärtige Männer, die wie Brüder aussahen und kein Deutsch sprachen. Simrock mußte noch einmal die Treppe hinauf und seinen Ausweis holen. Die Wirtin übersetzte seine Frage, was zum Henker die Sache zu bedeuten habe und wo Antonia Kramm sei, doch in gemilderter Form, wie er deutlich hörte. Einer der Polizisten schüttelte den Kopf und sagte, wobei er die Wirtin ansah, Simrock solle sich fertig anziehen und mitkommen. Zu weiteren Auskünften war er nicht bereit, nicht einmal zu einer Antwort auf Simrocks Frage, ob es sich um eine Verhaftung handle. Als Simrock zum zweitenmal nach oben ging, um Hemd, Jacke und Schuhe anzuziehen, hörte er, daß seine Wirtin schluchzte. Sie war ihm bisher so geschäftstüchtig vorgekommen, daß ihr Weinen ihn wunderte.

Sie fuhren mit ihm in eine Stadt, deren Namen Simrock nicht herausfand. Unterwegs, während es allmählich hell wurde und der Himmel einen schönen Tag versprach, stieg wieder Angst in ihm auf, zuerst um Antonia und dann um sich selbst. Die Polizisten, von denen einer den Wagen chauffierte und der andere neben Simrock auf dem Rücksitz saß, schwiegen den ganzen Weg über wie zwei Leute, die sich auch ohne Worte verstehen. Simrock hatte seine Uhr vergessen. Er sah ein kleines Rudel Rehe über ein Feld flüchten, da kam ihm die Angst um sich selbst verächtlich vor, auch wenn er immer noch wütend darüber war, wie selbstherrlich die Polizisten ihn mitzufahren zwangen. Wieder füllte sich sein Kopf mit Vermutungen über Antonia, von denen er sich abzulenken suchte, indem er Kilometersteine zählte oder rauchte und um Feuer bat, obwohl er Streichhölzer in seiner Tasche wußte. Das Gute an dieser Autofahrt, sagte er sich, sei einzig die Gewißheit, die wohl am Ziel auf ihn wartete. Er schwor sich, Antonia keine Sekunde mehr aus den Augen zu lassen in Ungarn, wenn sie nur noch am Leben war.

Als er durch die Frontscheibe die Türme und Schornsteine einer größeren Stadt sich nähern sah, klopfte ihm der Polizist, der neben ihm saß, ein paarmal auf den Schenkel, als wollte er in seiner einzigen Fremdsprache sagen, daß alles irgendwie schon gut werden würde. Unter Simrocks Lächeln schaute er wieder nach vorn, und sein starrer Blick konnte bedeuten, daß der Gefühlsausbruch ihm peinlich war. Simrock dachte: Wenn selbst die Polizei Mitleid hat, muß es schlimm stehen.

In einem barocken grünen Gebäude, das wohlrestauriert und, wie Simrock beim Hineingehen fand, viel zu schade war, um Behörden zu beherbergen, fragte ihn ein uniformierter alter Mann, ob er von Antonias Absichten Kenntnis gehabt habe. Simrock hieb mit der Faust auf den Tisch und verlangte, endlich aufgeklärt zu werden. Er schrie: »Was denken Sie denn, wen Sie vor sich haben!« Er schimpfte auf die beiden Polizisten, die ihn seit zwei Stunden im ungewissen gelassen hatten, und fragte, wie lange das noch so weitergehen solle. Der uniformierte Mann schien Simrocks Zorn zu glauben, womit auch seine Frage erledigt war. Er sagte, Antonia habe in den gestrigen Abendstunden versucht, die Grenze nach Österreich zu durchbrechen.

In Simrocks Gedanken riß ein Loch. Ein Schauer lief ihm in kleinen Wellen von den Schulterblättern aus den Rücken hinab, und er wußte nicht, was tun. Er kam erst wieder zu sich, als der uniformierte Mann ihm eine brennende Zigarette hinhielt. Er fragte, ob er Antonia sprechen dürfe. Der Mann antwortete lange nichts und sah aus, als habe

Simrocks Frage ihn ratlos gemacht. Plötzlich hörten die kleinen Wellen auf Simrocks Rücken auf, und der Schweiß brach ihm aus; denn ihm kam zum Bewußtsein, wie gefährlich heimliche Grenzübertritte waren und wie sie in Nachrichten aus dem Westen meist endeten.

Sie gingen über einen großen Hof, Simrock neben dem Mann her, der von zwei entgegenkommenden Polizisten oder Soldaten gegrüßt wurde, dies aber nicht wahrnahm. Simrock sah ihn von der Seite an und fand auf einmal, sein Gesicht müßte anders aussehen, wenn Antonia etwas zugestoßen wäre.

Dann, als er vor einem Zimmer warten mußte, fühlte er sich von Antonia verraten. Er dachte: Es ist nicht übertrieben, von Betrug zu sprechen. Er stellte sich vor, die Flucht sei kein Zufallsentschluß gewesen, Antonia habe schon in Berlin damit gelebt, währen sie sich umarmt hielten. Er stellte sich vor, Antonia habe nur aus diesem einen Grund nach Ungarn fahren wollen. Er dachte: Warum hat sie mich in ihre Machenschaften hineingezogen? Was für Gründe habe ich ihr gegeben, mich so zu demütigen? Warum hat sie mich von einer so wichtigen Entscheidung ausgeschlossen? Aus Mißtrauen? Das kann ich nicht glauben. Also aus Mißachtung, warum sonst. Wie konnte sie sicher sein, meine Argumente wären so unwichtig, daß es gar nicht erst lohnte, sie anzuhören? Dann dachte er: Wenigstens kann ich jetzt besser verstehen, was es heißt, wenn die Zeitungen von Treuebruch und Verrat schreiben. Nur daß Zeitungen kein Herz haben und nicht lieben können.

Der uniformierte Mann öffnete kurz eine Zimmertür und sagte zu Simrock, es dauere noch ein Weilchen.

Nein, sagte sich Simrock, so einfach ist das nicht, daß jeder, der zu gehen wünscht, auch zu gehen versucht. Vom eigenen Risiko einmal abgesehen, bringt man diejenigen in eine schlimme Lage, die aufgestellt sind, jede Flucht zu verhindern. Außerdem sollte nur fliehen dürfen, wer niemanden zurückläßt.

Er stand auf, spazierte den Korridor entlang und dann einen nächsten, bis er merkte, daß er sich in dem weiten Gebäude verlaufen hatte. Er mußte vier Bänke anfassen, bevor er die eine wiederfand, die vom Sitzen noch ein wenig warm war. Er setzte sich wieder und dachte: Ich weiß heute schon, daß ich Antonia die letzte Nacht nie verzeihen werde. Offenbar geht es ihr gut, abgesehen davon, daß man sie verhaftet hat. Sie soll nur nicht auf mein Mitleid hoffen. Jetzt hat sie das Wenige, das in meinem Leben in Ordnung zu kommen schien, zerstört.

Antonia, zu der Simrock schließlich geführt wurde, hatte ein Gesicht, dem man das lange Weinen ansah. Als er eintrat, hob sie nur kurz den Kopf und verkroch sich mit ihrem Blick sofort wieder. Simrock sah den uniformierten Mann an, als erwarte er Anweisung, was nun zu tun sei. Der sagte etwas zu einem jungen Mann mit leeren Schulterstücken, der daraufhin zögernd aufstand und das Zimmer verließ. Der ältere Mann ging ebenfalls hinaus und sagte, mehr als zehn Minuten seien nicht möglich. Simrock nahm Antonias Hand, die erschreckend kalt war und die sich nicht rührte, wie eine Hand, die genau darauf achtet, was mit ihr geschieht. Sie schwiegen, bis Simrock Angst um die zehn Minuten bekam.

Er sagte: »Jetzt schämst du dich wohl.«

Antonia: »Ich konnte es dir nicht vorher sagen.«

Simrock: »Hast du es schon zu Hause gewußt?«

Antonia: »Ich glaube ja, wenn auch nicht in den Einzelheiten. Aber die Bereitschaft war schon lange da.«

Simrock: »Und nur deswegen wolltest du nach Ungarn fahren?«

Antonia: »So kann man es nicht sagen. Wenn du dabeigewesen wärst, hätte ich es ja nicht probiert. Die Gelegenheit war einfach so günstig. Ich habe die österreichischen Berge zum Greifen nah gesehen.«

Simrock: »Wo bist du überhaupt gewesen? Bist du sicher, daß es die österreichischen waren? Hätten es nicht auch die tschechischen sein können?«

Antonia lächelte einen Moment, doch sofort überzog sich ihr Gesicht wieder mit traurigem Ernst. Ihre Augen versteckte sie aber nicht mehr, sie hielt den Blick, mit einem Anflug von Trotz darin, auf Simrock gerichtet. Simrock bemerkte zum erstenmal, daß vor den beiden Fenstern Gitter waren.

Simrock: »Hast du dir überlegt, wie mir jetzt zumute sein muß?«

Antonia: »Wenn du so an der Grenze stehst, hören alle Rücksichten auf.«

Simrock: »Na schön. Was wird jetzt weiter geschehen?«

Antonia: »Man wird mich nach Hause ausliefern, und dort wird es einen Prozeß geben. Ich werde wegen versuchter Republikflucht verurteilt werden.«

Simrock: »Zu wieviel?«

Antonia: »Ich habe mich nicht vorher erkundigt.«

Simrock: »Warum konntest du uns die paar Tage nicht gönnen?«

Antonia: »Hör auf damit. Als ich die Grenze plötzlich vor mir sah, ist mir durch den Kopf gegangen, daß sie hier wahrscheinlich nicht so leicht schießen. Und ich habe mit dieser Vermutung auch recht gehabt, niemand hat versucht, mich zu erschießen. Sie sind nur hinter mir hergerannt, und wenn ich nur ein bißchen schneller hätte laufen können, dann hätte ich es geschafft.«

Später mußte Simrock zu Protokoll geben, daß Antonia ihn nicht eingeweiht hatte. Seine Worte kamen ihm vor, als distanzierte er sich von ihr, doch der uniformierte Mann bestand darauf, daß er nur auf die Fragen antwortete, die er stellte. Während Simrock wahrheitsgemäß erzählte, seit wann er Antonia kannte und wie sie sich kennengelernt hatten, dachte er daran, daß seine Angaben in einer späteren Gerichtsverhandlung irgendeine Rolle spielen würden.

Gegen Mittag brachte man ihn zurück. Er fuhr mit demselben Wagen, der ihn schon geholt hatte, diesmal nur vom Fahrer begleitet. Er trank eine ganze Flasche Kirschschnaps aus, schlief bis zum nächsten Mittag, bezahlte dann den Preis, den die Wirtin verlangte, und flog nach Berlin. Bei der Zollkontrolle in Schönefeld wurde ihm das *Tagebuch* von Frisch weggenommen, doch Simrock war zu erschöpft, um sich groß zu empören.

Den Rest der Ferien verbrachte er in einem dumpfen Zustand, ohne Spannung auf die Schule. Er beauftragte denselben Rechtsanwalt, der Ruth und ihm bei der Scheidung geholfen hatte, sich nach Antonias Verbleib zu erkundigen und sie zu verteidigen. Aber der Anwalt, ein Bekannter aus Simrocks Studienzeit, lehnte ab. Unter vier Augen sagte er, er halte nicht etwa Antonias Tat für verteidigungsunwürdig, habe jedoch keine Lust, argumentelos den Richter um die Mindeststrafe anzuflehen, indem er Antonia als eine verblendete und verführte Frau darstelle;

nur eine solche Verteidigung aber sei üblich und zulässig. Was die andere Sache betreffe, sagte er, ihren Aufenthaltsort nämlich und den Zeitpunkt der Verhandlung zu erforschen, wolle er gern etwas unternehmen, nicht offiziell, sondern über eine Freundin in der Staatsanwaltschaft.

Stundenlang ging Simrock in der Wohnung umher und empfand, da er von lauter Gegenständen umgeben war, die Antonia gehörten, ihre Abwesenheit besonders stark. Er gestand sich zum erstenmal ein, daß eine lange Trennung bevorstand, doch gab er den Widerstand gegen diese Gewißheit nur langsam auf, als sei eine allmählich wachsende Erkenntnis leichter zu ertragen als die Erkenntnis auf einen Schlag. Er öffnete Antonias Kleiderschrank und erinnerte sich an Tage, an denen sie die verschiedenen Hosen und Röcke getragen hatte. Einmal blätterte er in den Erzählungen eines dicken jungen Schriftstellers, die Antonia noch nicht abgeschrieben hatte, und er wünschte sehnsüchtig, das Geklapper aus dem Nebenzimmer zu hören.

Dann ergriff ihn, als er auf den Knien die Wohnung aufwischte, eine erdrückende Wut auf die Umstände, die Antonia von ihm trennten. Er hielt es plötzlich für ihr gutes Recht, dorthin zu gehen, wohin sie gehen wollte, und für ein ebenso gutes Recht zurückzukehren, wenn es ihr an dem anderen Ort nicht mehr gefiel. Sie daran hindern zu wollen, so kam ihm heiß zum Bewußtsein, sei eine unerhörte Anmaßung, und nur der konnte sie auf sich nehmen, der Glück für etwas hielt, wofür der Tag noch nicht gekommen war.

Abends, bei einem Glas Bier in der Kneipe, sagte er zu fremden Leuten: »Ich sehe ja selbst, daß eine bestimmte

Anzahl von Personen nötig ist, um die Produktion zu sichern und damit die Hoffnung auf Zukunft. Doch finden Sie nicht auch die Art und Weise erschreckend, wie man dieser Notwendigkeit folgt? Dabei ist es, zumindest in Gedanken, nicht einmal so schwer, den Ausweg zu finden: Was wir schon erreicht haben, müßte so angeordnet werden, daß die benötigten Personen sich davon mehr angezogen fühlen als von allem anderen. Aber wer versucht das denn?«

Die Leute fanden, daß Simrock ihnen den Feierabend verdarb, und sie führten lieber Gespräche über Dinge, von denen sie meinten, sie ständen ihnen näher. Eine junge Frau sagte: »Sie haben vielleicht eine Laune, Mann. Bestellen Sie sich lieber noch ein Bier, bevor Sie so weiterreden.«

Auf dem Heimweg wunderte sich Simrock, wie es möglich sein konnte, daß er den Versuch Antonias, das Land zu verlassen, heute rechtmäßig fand, obgleich er ihn kurze Zeit zuvor empörend und rücksichtslos genannt hatte. Er sagte sich, daß er wohl, je nach Stimmung, mehr Mühe für die eine oder für die andere Art zu argumentieren aufgewendet haben müsse. Dann fragte er sich, wie sehr seine Überzeugungen somit von Stimmungen abhängig waren, und er fühlte sich beunruhigt. Schließlich sagte er sich: Das Komische an der Sache ist nur, daß ich mit meinen Gedankenspielereien zwar einen Sachverhalt verschieden bewerten, jedoch nichts daran ändern kann, daß Antonia im Gefängnis sitzt.

Die Schule begann an einem Morgen, an dem ein Regenbogen am Himmel stand. Die Schüler und Lehrer waren bereits zum Fahnenappell angetreten, als Simrock auf den Schulhof kam. Gerade las der Direktor eine Ansprache vor, die den Versammelten frische Tatkraft geben sollte und sie doch nur ermüdete; über den Hof gab Kabitzke Simrock irgendwelche Zeichen, die unverständlich waren. Nach Ende des Appells sagte er, er sei beauftragt, mit Simrock eine Aussprache zu führen. Simrock lächelte bei dem Gedanken, Kabitzke habe glauben können, ihm den Inhalt einer solchen Mitteilung durch Handzeichen verständlich machen zu können. Kabitzke gab ihm ein Kuvert und sagte, im Anschluß an den Unterricht wollten sie über den Brief darin sprechen.

In der großen Pause las Simrock: *Sehr geehrter Genosse Direktor! Ich sehe mich gezwungen, Klage über einen der Lehrer meines Sohnes Klaus zu führen, und zwar über den Deutschlehrer Simrock. Kurz vor Beginn der großen Ferien hat sich etwas ereignet, wozu man nicht schweigen kann. Der Lehrplan war erfüllt, und Herr Simrock las den Schülern allerlei vor, wogegen im Prinzip nichts einzuwenden ist. Aber muß sich ein verantwortungsbewußter Pädagoge nicht vorher überlegen, was es ist, womit er die Kinder da konfrontiert?! Herr Simrock jedenfalls hat es nicht getan, sonst wäre ausgeschlossen gewesen, was am drittletzten Schultag passiert ist: Da kommt Klaus nach Hause und erzählt uns, daß er auf Anweisung seines Lehrers Simrock ein langes Gedicht mit der Überschrift ›Lob des Zweifels‹ vorlesen mußte! Der Verfasser des Gedichts ist zwar Berthold Brecht, aber wir alle haben schließlich schwächere und stärkere Stunden. Hat sich Herr Simrock denn nie gefragt, warum gerade dieses Gedicht nicht im Lehrplan steht?*
Klaus hat uns berichtet, daß es beim reinen Vorlesen nicht einmal geblieben ist, sondern daß die Schüler das Gedicht auch zu analysieren hatten und daß Herr Simrock sie zum

Zweifeln geradezu ermuntert hat. Ich finde, daß er damit seine Befugnisse als Lehrer weit überschreitet. Meine Frau und ich haben uns stets die größte Mühe gegeben, Zweifel von unseren Kindern fernzuhalten. Wir wollen sie zu guten Staatsbürgern erziehen, die in verantwortungsbewußter Arbeit und nicht in ständiger Krittelei die Antriebsfeder zur Entwicklung des Sozialismus sehen. Wie aber, fragen wir uns, sollen wir sie mit revolutionärer Geduld erfüllen, wenn einer ihrer Lehrer sie zu Zweiflern macht und ihnen so die Zuversicht nimmt.

Ich sage Ihnen ehrlich, daß ich meinen Sohn mit fünfzehn Jahren noch nicht für gefestigt genug halte, als daß solche Anfechtungen spurlos an ihm vorübergehen könnten. Erste Anzeichen von Renitenz sind bereits jetzt nicht zu übersehen. Wenn Herr Simrock seine Theorien unbedingt ausprobieren will, dann soll er das an seinen eigenen Kindern tun, aber nicht an unseren. Meine Frau und ich fordern, daß eine prinzipielle Aussprache mit ihm geführt wird, an deren Ende garantiert sein muß, daß sich solche Auswüchse in Zukunft nicht wiederholen. Mit sozialistischem Gruß! K. Nachtigall.

Beim zweiten Lesen fand Simrock die Formulierung *revolutionäre Geduld* amüsant, denn er hatte im Ohr, daß es eigentlich *revolutionäre Ungeduld* lauten mußte. Die zufällig im Lehrerzimmer anwesenden Kollegen fragte er: »Kann mir jemand sagen, ob es revolutionäre Geduld oder revolutionäre Ungeduld heißen muß?«, und alle waren sich einig, daß Ungeduld das zutreffende Wort war. Vergnügt las er weiter, dann überlegte er, ob er den Brief zur Unterhaltung für die anderen vorlesen sollte. Er verzichtete aber darauf, weil er das Gefühl hatte, daß ein solcher Vortrag mit nur wenig schlechtem Willen als Herausforderung angesehen werden könnte. Er dachte: Wenn ich vorlesen würde, wäre es ja auch als Herausforderung gemeint. Er warf den Brief fort, holte ihn aber wieder aus dem Papierkorb, weil Kabitzke ihn vielleicht zurückhaben wollte.

Er ging zu Kabitzke, gab ihm den zerknüllten Brief und sagte: »Lustig.«

Kabitzke sagte: »Setz dich hin, und sag mir etwas zu der Sache.«

Simrock setzte sich und sagte: »Mir fällt dazu nichts ein.«

Kabitzke sagte: »Du läßt die Kritik kommentarlos auf dir sitzen?«

Simrock: »Ich wundere mich, daß du mir den Brief dieses Dummkopfs überhaupt gezeigt hast. Anstatt ihm zu antworten, er möge die Schule und insbesondere mich mit seinen Hirngespinsten nicht belästigen, führt ihr Aussprachen mit mir und tut so, als ob eine ernstzunehmende Beschwerde auf dem Tisch liegt.«

Kabitzke: »Na, na.«

Simrock: »Übrigens will ich dir nicht verschweigen, daß der Sohn dieses Mannes, nämlich jener Klaus Nachtigall, ein ausnehmend unsympathisches Kind ist, das meinen Vorsatz, keinen Schüler zu bevorzugen und keinen zu benachteiligen, auf eine harte Probe stellt. Und es war kein Zufall, daß ich ausgerechnet ihn das ›Lob des Zweifels‹ vorlesen ließ.«

Kabitzke: »Selbst wenn ich zugebe, daß ich diesen Brief für nicht allzu wichtig halte, finde ich es doch eigenartig, daß in regelmäßigen Abständen immer etwas mit dir los ist. Wie machst du das nur?«

Simrock stand auf und sagte: »Indem ich lebe.«

Kabitzke winkte ab, als sei jetzt nicht die Zeit für feinsinnige Sprüche. Er sagte: »Was soll ich also dem Direktor antworten?«

Simrock spürte auf einmal Mitleid, dann sagte er sich aber, Kabitzke gerate nicht etwa seinetwegen stets von neuem in Ratlosigkeit, sondern nur, weil er so furchtsam war und das Glück der Bewegungsfreiheit nicht kannte. Er sagte: »Sag ihm, daß ich verstockt bin und fortfahren will, dem Herrn Nachtigall ein Dorn im Auge zu sein. Und sag ihm, daß ich darum bitte, in Zukunft ähnliche Beschwerden von mir fernzuhalten, denn ich habe auch wirkliche Sorgen.«

Er verabschiedete sich von Kabitzke, doch der hielt seine Hand über Gebühr lange fest und blickte ihm in die Augen, als halte Simrock dort den Grund für sein unverständliches Handeln versteckt. Er sagte: »Ich sehe, wie du dich immer mehr verhärtest. Aber ich kann nicht erkennen, aus welcher Quelle dein Widerspruch kommt.«

Simrock sagte: »Das ist auch gar nicht wichtig, wenn er nur da ist.«

Erst nach anderthalb Monaten konnte der Anwalt Simrock sagen, wo Antonia war. Der Prozeß sollte wenige Tage später stattfinden, der Anwalt meinte, erfahrungsgemäß habe man mit etwa zwei Jahren Gefängnis zu rechnen. Er glaubte nicht, daß Simrocks Bemühungen um eine Besuchserlaubnis sich auszahlen würden.

Zu Hause saß Simrock erschüttert am Tisch und versuchte, sich an irgend etwas zu erinnern, das zwei Jahre zurücklag. Obwohl er seit langem die Angewohnheit hatte zu meinen, die Zeit vergehe viel zu schnell, lagen die wenigen Ereignisse von damals, die er noch im Gedächtnis hatte – Leonies Beinbruch, der mißglückte Selbstmordversuch des Ehepaars im Nachbarhaus, ein verzankter Urlaub im Thüringer Wald – deprimierend weit zurück. Er stellte sich Antonia nach den zwei Jahren als steinalte Frau vor, und gegen besseres Wissen setzte er seine Hoffnung darauf, daß der Anwalt sich irrte. Er sagte sich, er müsse es einfach tun, denn dem Anwalt zu glauben und von der Zukunft das zu erwarten, was das Wahrscheinlichste war, sei unerträglich hoffnungslos.

Es quälte ihn, daß er Antonia nicht helfen konnte, mit einem trostreichen Wort etwa oder mit einem Opfer. Es müsse schlimm für sie sein, sagte er sich, so abgeschnitten von allem Zuspruch in einer Zelle zu sitzen, für ein Verbrechen, das in ihren Augen keines war. Er dachte: Gewiß wird jetzt ein großer Haß in ihr wachsen. Wie sollte auch jemand, dem es in einem Land nicht gefällt, zu der Einsicht kommen, daß es richtig sei zu bleiben? Er wird nur deshalb bleiben, weil er das Risiko einer Flucht fürchtet. Und er dachte: Darum wimmelt es ja ringsum von Leuten, die scheinbar voller Zustimmung sind. Arme Antonia.

Er legte sich zu Bett und beschäftigte sich mit einem neuen Problem, das er zuvor schon gesehen, aber noch nicht gründlich durchdacht hatte: Er stellte sich vor, durch ein gütiges Schicksal wäre Antonias Haftzeit morgen vorbei, morgen würde Antonia eintreten und sagen, sie sei wieder da. Würde er vergessen können, daß sie nicht nur ein Land, sondern auch ihn heimlich verlassen wollte? Würde sie jemals wieder für ihn eine Frau sein, zu der blindes Vertrauen möglich war? Er dachte: Über dem Unrecht, das man ihr antut, sollte ich nicht vergessen, daß ich hintergangen worden bin.

Doch dann hielt er es für denkbar, daß Antonia nur aus Rücksicht auf ihn heimlich gehandelt hatte: daß sie ihn nicht in die Notwendigkeit stürzen wollte zu lügen, daß ihre Verschwiegenheit also vielleicht ein letzter Liebesdienst war. Diese Vermutung hielt er für ebenso wahrscheinlich wie die vorherige, bis ihm der Kopf weh tat. Verwirrt schlief er ein, wachte ein paarmal in der Nacht auf und gab sich jedesmal Mühe, möglichst schnell wieder von seinen Sorgen weg in den Schlaf zu kommen.

Am folgenden Morgen, beim Frühstück, ärgerte er sich darüber, daß er sich immer wieder in die Resignation treiben ließ. Meine Verzweiflungsschwelle ist zu niedrig, dachte er. Er verschluckte sich am Kaffee, als ihm in den Sinn kam, seine Resignation könnte in Wirklichkeit Faulheit sein. Doch er spürte, daß es ihm keinen Nutzen bringen würde, neue Vorsätze zu fassen, solange sein Verhältnis zu Vorsätzen das alte blieb.

In der Klasse verkündete Simrock, er habe die Absicht, den Unterricht in vielerlei Hinsicht zu ändern. Da er dies aber, sagte er, nicht über die Köpfe der Schüler hinweg und darum wieder falsch machen wolle, fordere er alle auf, nach der letzten Unterrichtsstunde in das Geschichtskabinett zu kommen, damit sie sich gemeinsam den Kopf zerbrechen könnten. Er hatte den Eindruck, daß die Unruhe, die seinem Angebot folgte, ein Zeichen von Zustimmung war. Er sagte: »Daß ihr mir aber nicht nur wie Zuschauer kommt. Am willkommensten sind mir die, die etwas vorzuschlagen haben. Dabei verlange ich nicht von euch, daß ihr wißt, wie man alles besser macht. Wenn ihr mir sagt, wie ihr den Unterricht nicht mehr wollt, ist das auch schon viel wert.«

Aber es kam keiner. Simrock wartete zwanzig Minuten

und hoffte, der Lehrer der letzten Stunde habe seine Zeit überzogen; dann sah er durchs Fenster zwei Burschen aus seiner Klasse auf dem Schulhof gegeneinander kämpfen und wußte, daß er nicht länger zu warten brauchte. Er setzte sich hin und fragte sich nach den Ursachen für den Reinfall; doch bevor er die erste gefunden hatte, stand er wieder auf und sagte: »Jetzt ist genug analysiert.«

Er ging pfeifend durch das Schulgebäude, bis ein Kollege, der noch beim Unterrichten war, ärgerlich die Klassentür aufriß. Auf dem Hof wälzten sich die beiden Burschen immer noch im Staub, erbittert und so langweilig, daß die geduldigsten Zuschauer längst gegangen waren. Simrock fragte sich, wozu ein Kampf gut sein sollte, bei dem die Kontrahenten sich nichts anderes antaten, als sich umschlungen zu halten, damit der eine nur ja dorthin mitrollte, wohin der andere rollte.

Simrock trennte die beiden. Sie schienen außer sich, und es war sicher, daß sie, sobald er ihnen den Rücken kehrte, sich wieder ineinander verbeißen würden. Er gönnte ihnen eine Atempause, bevor er fragte, warum sie seiner Einladung nicht gefolgt waren. Beide sahen sich an, für einen Augenblick einig in der Verwunderung, worüber ihr Lehrer in einem solchen Moment sprach. Der eine zuckte dann mit den Schultern, der andere sagte geistesgegenwärtig, daß sie zu dem Zeitpunkt, als Simrock von dieser Sache gesprochen habe, bereits für ihren Kampf verabredet gewesen seien. Simrock fragte, warum denn von den übrigen Schülern keiner gekommen war, darauf wußten beide keine Antwort. Simrock sagte: »Ich verstehe das doch richtig: Wenn ihr nicht zufällig vorher beschlossen hättet zu kämpfen, wärt ihr ins Geschichtskabinett gekommen?« Die Burschen bestätigten das entschieden.

Simrock: »Aber die anderen. Könnte es sein, daß sie der Meinung sind, es bleibt ja doch alles beim alten?«

Der Eine: »Ja, das kann sein.«

Simrock: »Vielleicht sind sie aber so zufrieden mit dem Unterricht, daß sie jede Änderung für überflüssig halten?«

Der Andere: »Ja, das kann auch sein.«

Simrock hörte auf zu fragen. Er erkannte, daß ihm jede gewünschte Antwort sicher war, weil die beiden ihn loswerden und sich wieder übereinander hermachen wollten. Er dachte über ein letztes Wort nach, fand aber keins. So schob er sie sich gegenseitig in die Arme, wie zwei Teile eines Ganzen, das er auseinandergenommen hatte und nun wieder zusammenfügen mußte. Als er über den Hof ging, hörte er schon nach wenigen Schritten das Schnaufen hinter sich, und er sah, als er vom Ausgangstor einen Blick zurückwarf, die beiden sich wieder umschlungen halten und umfallen und ihren traurigen Kampf fortsetzen.

Ausgerechnet am Morgen des Tages, an dem die Gerichtsverhandlung stattfand, versagte Simrocks Wecker. Simrock fluchte, fand lange kein Taxi und kam mit mehr als einstündiger Verspätung im Gerichtsgebäude an. Vor der Tür zum Verhandlungsraum stand eine Polizistin und verwehrte ihm den Eintritt. Simrock fragte, ob etwa alle Plätze im Saal besetzt seien, da zeigte die Polizistin auf einen Zettel neben der Tür. Simrock las, die Strafsache Antonia Kramm werde unter Ausschluß der Öffentlichkeit verhandelt. Simrock sagte: »Was heißt Öffentlichkeit, ich lebe mit ihr. Wir sind so gut wie verheiratet.«

Die Polizistin, die eine ältere Frau war und auf Simrock ei-

nen geduldigen und kompromißbereiten Eindruck machte, lächelte nachsichtig und sagte: »Wenn ich Ihnen doch
sage, daß es nicht geht.«

Widerwillig sah Simrock ein, wie wenig Sinn es hatte, sie
überzeugen zu wollen. Er erkundigte sich, ob es aus dem
Saal heraus einen anderen Ausgang als diesen hier gäbe,
und setzte sich, nachdem seine Frage verneint worden war,
auf eine Bank gegenüber der Tür. Als er einige Minuten
gesessen hatte, den Blick auf die Tür gerichtet und ohne
Gedanken, sagte er sich, nicht eingelassen zu werden sei
vielleicht sogar ein Vorteil: denn auch wenn seine Neugier
unbefriedigt und die Sehnsucht, Antonia zu sehen, uner-
füllt blieben, brauchte er nun die Beschuldigungen, die von
der Anklage erhoben würden, nicht mit anzuhören. Einfluß auf den Gang der Verhandlung habe er ohnehin nicht,
die Ereignisse hinter der Tür seien vorgefertigt, vorbe-
schlossen und tragisch. Dann bezweifelte er sogar, ob
seine Anwesenheit Antonia willkommen wäre: Einen
Zeugen für ihr Unglück zu haben, konnte ihr nicht angenehm sein; und falls sie Reue zeigen wollte, sagte er sich,
um die Strafe niedrig zu halten, dann hätte er als Zuschauer
sie nur behindert.

Er fragte, wie lange die Verhandlung wohl dauern würde.
Die Polizistin antwortete unerwartet ausführlich, als sei
ein Gespräch auf diesem öden Gang ihr willkommen, es
gebe da die größten Unterschiede, und daß sie schon, so
wahr heute Dienstag sei, Grenzverletzungssachen von einer Stunde bis zu zwei Tagen erlebt habe. Simrock flüch-
tete vor dem beginnenden Redeschwall, indem er zu einem
Aschenbecher am Ende des Flurs ging und rauchte. Er
dachte, eigentlich sei es herzlos von der Frau, so munter
draufloszureden, da sie doch nach seinen ersten Worten

wissen mußte, daß es seine Geliebte war, die vor Gericht stand.

Nach einer langen Wartezeit wurde die Tür von innen geöffnet. Die Polizistin mußte Simrock zurückhalten, und anstatt ihn am Ärmel zu greifen, hielt sie ihn mit einer Erklärung fest. Leise sagte sie, dies sei jetzt eine Pause, deren Länge man nicht abschätzen könne, nach der Pause komme wahrscheinlich die Urteilsbegründung, und zu der sei die Öffentlichkeit, sofern der Richter es nicht anders verfügt habe, zugelassen.

Zwei Herren kamen heraus und vertraten sich auf dem Flur die Beine, Simrock hätte gern ein paar Fragen gestellt, doch hinderte ihn, daß er nicht wußte, wer sie waren.

Er mißachtete das Geflüster der Polizistin und trat wenige Schritte in den Saal hinein, der überraschend klein war. Antonia saß mit dem Rücken zu ihm, in ein Gespräch mit einem Mann in schwarzer Robe vertieft. Sie trug ein grünes Kleid, das sie vor der Ungarnreise gemeinsam gekauft hatten. Simrock wagte nicht, sie anzurufen. Er fürchtete auch, es könnte nachteilige Folgen für sie haben, wenn er einfach zu ihr hinging. Dann dachte er: Das bißchen Öffentlichkeit, das hier hineinpaßt, hätten sie getrost zulassen können.

Nachdem er eine ganze Weile vergeblich auf Antonias Blick gewartet hatte, stellte er sich den beiden Herren in den Weg, daß sie anhalten und aufblicken mußten. Er bat um Entschuldigung und fragte: »Ist es richtig, daß zur Urteilsbegründung die Öffentlichkeit, genauer gesagt ich, in den Gerichtssaal darf?«

Die beiden Herren sahen einander an, der eine ärgerlich, der andere aber, als wollte er sagen: Was ist schon dabei. Dieser sagte: »Nein, das ist nicht richtig.«

Simrock fragte: »Kann ich wenigstens erfahren, zu wieviel Antonia Kramm verurteilt worden ist?«

Derselbe Herr sagte: »Zu einem Jahr und sieben Monaten, wobei die Untersuchungshaft angerechnet wird.«

Simrock bedankte sich und trat zur Seite, damit die beiden Herren ihren Weg fortsetzen konnten. Im ersten Moment dachte er, das Urteil bedeute ein großes Glück, denn an den erwarteten zwei Jahren fehlten volle fünf Monate, und ein solches Geschenk sei gewiß nicht alltäglich. Dann aber, ohne Übergang, fand er, ein Jahr und sieben Monate seien um keinen Tag kürzer als zwei Jahre.

Er ging zurück zu der offenen Tür, um den ausgestreckten Arm der Polizistin herum, die zum Glück Aufsehen vermeiden wollte. Antonia saß immer noch mit dem Rücken zur Tür, doch nun allein, wie in Gedanken. Simrock hustete ein paarmal, dann rief er, als das Husten nicht half, laut ihren Namen. Antonia drehte sich wie elektrisiert um. Sie begann aufzustehen, hielt aber sofort ein, weil ihr die Lage klar wurde. Simrock versuchte, sie anzusehen wie jemand, der viel zu sagen hat. Ein Gespräch über die Entfernung hinweg war unmöglich, die Polizistin hinter ihm zischte schon. Simrock trat, um sie zu beruhigen, zwei Schritte zurück. Antonia machte eine kleine hilflose Handbewegung. Simrock überlegte, was er ihr sagen würde, wenn eine Unterhaltung möglich wäre. Dann fiel ihm ein, daß er das, was er zu sagen hatte, ihr auch so mitteilen konnte, und er fing zu weinen an. Er wunderte sich, wie leicht es ging, ohne jede Anstrengung, als habe er nur eine Sperre lösen müssen.

Während der Gerichtssaal verschwamm, dachte Simrock, es gehe, obwohl es sich um ein vorsätzliches Weinen handelte, nur deshalb so einfach, weil das Weinen tatsächlich seiner Verfassung entspreche. Er dachte: Vor allem aber weine ich, damit sie sieht, daß ich weine.

Simrock ging nach Hause und wurde krank. Er übergab sich und hatte Schweißausbrüche und Leibschmerzen, zwei Wochen dauerte es, bis der Arzt hinter ein nervöses Magenleiden gekommen war. Simrock sollte Diät halten und Aufregungen meiden. Als er wieder in die Schule kam, äußerte ein wohlmeinender und zugleich humorvoller Kollege die Hoffnung, Simrocks Zustand möge nicht seinem Aussehen entsprechen. Und er riet ihm, sollte dies doch der Fall sein, lieber noch einen Bogen um die von kleinen Ungeheuern bevölkerten Klassenräume zu machen. Simrock betrachtete sich ausgiebig im Spiegel und entschied, er sehe, bis auf den fehlenden Glanz in den Augen vielleicht, aus wie immer.

Einmal fragte er sich, warum ihm die Trennung von Antonia schwerer fiel als damals die Trennung von Ruth. Eine Erklärung schien zu sein, daß seine Beziehung zu Antonia noch nicht abgenutzt war, und daß er im einen Fall die Trennung bewußt herbeigeführt hatte und im anderen ihr Opfer geworden war. Aber gleich darauf schüttelte er den Kopf; er erinnerte sich deutlich an die Quälerei in der ersten Zeit nach Ruth. Er sagte sich, nicht die erste Trennung sei leicht gewesen und die zweite schwer, sondern die Erinnerung an die Schwere der ersten habe sich allmählich verflüchtigt. Außerdem sei es etwas völlig anderes, sich an die Schwere einer Trennung zu erinnern, oder bis zum Hals darin zu stecken.

Er fürchtete die Einsamkeit, wobei ihn nicht sosehr das

Fehlen einer Frau schreckte wie die Aussicht, mit allen Gedanken sich selbst überlassen zu sein. Jetzt muß ich achtgeben, dachte er, daß im Alleinsein die Verbitterung mir nicht alles überwuchert. Sonst werde ich ein frühgealterter Griesgram, der sich zu nichts anderem mehr aufraffen kann als zu Ablehnung. Besser aber als alle guten Vorsätze wäre es, dachte er, als er in einem Kino saß und zu der Filmhandlung, die laut und optimistisch war, keinen Zugang fand, wenn ich eine Menschenseele finden könnte, die mir Mut macht.

Nur gab es keine Freunde. Die wenigen Bekannten, zu denen ein einigermaßen vertrautes Verhältnis vorhanden gewesen war, hatte er seit der Trennung von Ruth gemieden, als gehörten sie zu dem Teil des ehelichen Besitzes, der von nun an Ruth zustand. Über die Gründe dieses Verzichts hatte er sich nie Gedanken gemacht. Er wußte nicht einmal, ob Ruth die Hinterlassenschaft angenommen hatte, und es war noch nicht genug Zeit mit Antonia vergangen, um den früheren Umgang zu vermissen. Einmal, fiel ihm ein, war ihm vor Jahren der Gedanke gekommen, sich mit zu vielen Leuten abzugeben, bedeute, sich zu verzetteln. Das fand er jetzt unverständlich, er sagte sich, zu solchen Schlüssen könne wohl nur der kommen, den Einsamkeit nicht bedroht. Da er sich aber nie ernsthaft daran gehalten hatte, war sein Mangel an Freunden so nicht zu erklären. Eher sah er eine Ursache darin, daß er zu ungeduldig beim Anhören von Belanglosigkeiten war, zu gehemmt beim Mitteilen eigener Probleme und zu bequem, komplizierte Gedankengänge nur deshalb in Worte zu fassen, damit die anderen merkten, daß er sie nicht verschwieg. Er sagte sich: Das bedeutet wohl, daß ich mich nicht gut zum Freund eigne.

In der Zeitung las er von der folgenschweren Rücksichtslosigkeit eines Kraftfahrers, und er erinnerte sich, daß in
derselben Straße, die als Unfallort genannt wurde, ein
Ehepaar wohnte, in dessen Gegenwart er sich immer
wohl gefühlt hatte. Er rief noch am selben Tag dort an, ließ
sich versichern, er sei herzlich willkommen, und verabredete für einen der nächsten Abende seinen Besuch.
Als er kam, stand für Ruth ein Abendbrot mit auf dem
Tisch. Beim Essen erzählte er den Gastgebern von seiner
Scheidung und von Antonia. Er gab sich dabei Mühe,
nicht den Eindruck eines Mannes zu erwecken, der nur
gekommen war, um sein Herz auszuschütten. Er schil-
derte die unerfreulichsten Dinge mit gesucht harmlosen
Worten. So erzählte er, daß Ruth und er dem Richter eine
verabredete Geschichte aufgetischt hatten, um möglichst
schnell geschieden zu werden, daß sie also wie zwei Ko-
mödianten und in bestem Einvernehmen zu ihrer Scheidung gegangen waren; er erwähnte nicht, daß Ruth erst
nach langen Auseinandersetzungen dazu bereit gewesen
war.
Nachdem er eine Weile gesprochen hatte, ohne auf die Gesichter zu achten, bemerkte Simrock Betretenheit. Doch
schien es ihm nicht Betretenheit zu sein, die von Anteilnahme herkam oder von Solidarität mit ihm oder mit
Ruth; eher hatte er den Eindruck, es sei Dorothea und
Lutz lästig, dies alles mitanhören zu müssen. Er brachte
das Kapitel, bei dem er gerade war, eilig zu Ende, hörte
dann auf und bat um Entschuldigung für sein langes Reden. Man fragte ihn: »Warum sprichst du nicht weiter, wie
ist es ausgegangen?«
Und Simrock gab zur Antwort: »Lassen wir das, sonst
denkt ihr noch, ich bin nur gekommen, um eure Geduld zu

prüfen. Zum Glück funktioniert meine Alarmglocke, wenn sie diesmal auch spät zu läuten begonnen hat. Entschuldigt also nochmals.«

Ihm wurde versichert, wie sehr er sich täusche, zuerst ausgiebig von Dorothea, dann, wie um den Eindruck der Unglaubwürdigkeit zu verwischen, auch von Lutz. Doch Simrock bestand darauf, daß man nun gesellig sein müsse, er erzählte einen Witz und erkundigte sich nach gemeinsamen Bekannten. Er dachte, während er mit halbem Ohr zuhörte, daß er möglicherweise seinen Gastgebern unrecht tue. Denn außer einem unbestimmten Gefühl, das vielleicht nur seiner Empfindlichkeit entsprungen war, sprach eigentlich nichts dafür, daß sie mit seinem Kummer nicht behelligt werden wollten.

Dennoch setzte er seine Geschichte nicht fort. Er hatte keine Lust, die Gesichter ständig beobachten zu müssen, und auf einmal fand er es unsinnig, überhaupt hergekommen zu sein. Er erkannte, daß selbst aufrichtige Anteilnahme von Dorothea und Lutz ihm keine Hilfe bedeutet hätte. Er habe sich, dachte er, so verhalten, als sei das Weitersagen von Sorgen gleichbedeutend mit ihrem Loswerden. Er war bemüht, nicht den Gastgebern die Schuld daran zu geben, er trank Likör und unterhielt sich über Dinge, die ihm noch vor einer Stunde nicht wichtig genug für ein Gespräch gewesen wären. Zu seiner Verwunderung merkte er bald, daß er die gute Laune, die er mit Rücksicht auf die beiden zur Schau trug, nicht länger zu spielen brauchte, denn sie war echt. Er fühlte sich nach einer Weile ausgeglichen und heiter, wie es nach einer ernsthaften Unterhaltung nicht möglich gewesen wäre. Auf dem Nachhauseweg stellte er sich die Frage, ob ein wenig Ablenkung nicht am Ende doch das beste Mittel sei, um mit Sorgen fertigzuwerden. Ihn zog ein Lärm, der aus einer offenen Gasthaustür quoll, so sehr an, daß er eintrat und sich mit schnellgefundenen Freunden die halbe Nacht betrank.

Einige Nachmittage mühte er sich ab, eine Besuchsgenehmigung für das Frauengefängnis zu erkämpfen. Doch weder unterwürfiges noch anmaßendes Auftreten verhalfen ihm zu dem Zettel. Überall wurde ihm die fehlende Verwandtschaft zu Antonia als Hindernis entgegengehalten. Einmal schnappte er das Wort Ausnahmegenehmigung auf, fand aber nicht den Justizbeamten, der sie ihm hätte erteilen können. Dabei glaubte er ein paarmal zu spüren, daß ihm der Besuch bei Antonia nur mit schlechtem Gewissen verweigert wurde. Es wollte ihm einfach nicht in den Kopf, daß man unter keinen Umständen zu jemandem ins Gefängnis durfte, mit dem man nicht verwandt war. Ergrimmt sagte er zu einem Staatsanwalt, das Teuflische an Behörden sei, daß sie sich besser für die Ablehnung von Anträgen eigneten als für deren Bewilligung, worauf er aus dem Zimmer gewiesen wurde. Der Rechtsanwalt, den Simrock schließlich um Hilfe bat, wiederholte nur, er könne nichts tun, und Simrock kränkte auch ihn, indem er ihm an den Kopf warf, domestizierte Rechtsanwälte seien ja wohl das letzte.

Simrock saß da und wußte nicht, wie er die auf der Stelle tretende Zeit nutzen könnte. Er stellte sich eine halsbrecherische Befreiung Antonias vor, über Strickleitern und mit einer Pistole, die in Wirklichkeit ein Feuerzeug war. Dann fand er, er müsse sich mehr als bisher um sein Kind kümmern. Er kaufte ein Spielzeug und einen Strauß aus Astern und rotem Laub und ging in seine frühere Wohnung. Als Ruth ihm die Tür öffnete, ahnte er aber, daß er mehr ihretwegen als um Leonies willen gekommen war.

Ruth empfing ihn kühl. Noch bevor er sich nach seiner Tochter erkundigt hatte, sagte sie, Leonie sei zu einer Freundin gegangen. Sie bedankte sich für den Strauß und fragte Simrock, ob sie ihm etwas anbieten könne. Simrock bat um eine Tasse Kaffee, obwohl dem Angebot deutlich anzuhören war, daß Ruth es nur aus Höflichkeit gemacht hatte. Die Wohnung war umgeräumt, das Zimmer, in dem sie saßen und Kaffee tranken, war ihr früheres Schlafzimmer. Ruth schüttete Gebäck in eine silberne Schale, die Simrock nicht kannte, dann lehnte sie sich zurück und schien entschlossen, bis zum Ende der Störung zu schweigen. Simrock sagte sich, Ruth verhalte sich so uferlos abweisend, daß bis zur Gleichgültigkeit noch ein weiter Weg sei. Er nahm sich vor, so nachsichtig wie möglich zu sein und nichts zu tun oder zu sagen, was ihren Unwillen herausfordern könnte. Er sagte sich, niemand habe seine Geduld mehr verdient als sie. Er fragte, wann Leonie voraussichtlich zurückkomme, und Ruth antwortete, das lasse sich nie voraussagen.

Simrock sagte: »Wenn es dir recht ist, könnten wir uns ein wenig unterhalten. Ich würde gern wissen, wie es dir inzwischen ergangen ist.«

Ruth sagte: »Ich will nicht unhöflich sein, aber ich möchte mich nicht unterhalten. Ich gestehe dir offen, daß es mir auch heute noch schwerfällt, ruhig mit dir zu sprechen.«

Simrock nickte und schwieg, bis er das Gefühl hatte, er müsse nun entweder etwas sagen oder aufstehen und gehen. Er fragte: »Wie geht es Leonie in der Schule?«

Ruth antwortete: »Ihr letztes Zeugnis kennst du ja wohl, und auch im neuen Schuljahr macht sie sich gut.«

Simrock: »Als ich sie zuletzt sah, hatte sie zwei lockere Zähne. Sind die draußen?«

Ruth: »Es ist nicht recht von dir, Leonie als Thema zu mißbrauchen. Stell mir doch bitte keine Fragen, die wie ein Zeug sind, mit dem man Hohlräume füllt.«

Simrock: »Worüber sollen wir sonst sprechen?«

Ruth: »Das ist es ja: Wir haben uns nichts zu sagen.«

Für Simrock hatten diese Worte einen dramatischen Klang, der nicht zu Ruth paßte. Er fragte sich, ob es ihr Genugtuung verschaffen würde, wenn er ihr von seinem vielen Pech erzählte. Doch dann meinte er, sowohl sein Unglück wie auch Ruth eigneten sich nicht zum Gegenstand solcher Versuche. Vergeblich wartete er ein paar Minuten auf ein Wort Ruths, dann sagte er, er wolle nun gehen und ein andermal wiederkommen. Ruth bat ihn, er möchte seinen nächsten Besuch mit einer Postkarte oder einem Anruf in ihrem Büro ankündigen. Simrock versprach es und dachte: Jeder andere an meiner Stelle wäre jetzt gekränkt.

Auf der Straße wurde ihm klar, daß er Ruth nicht als Möglichkeit ansehen durfte, seine Freizeit zu verbringen. Er war nicht einmal sicher, ob es ihm gelingen würde, sie zu einem zweiten Leben mit ihm zu bewegen. Er dachte: Da ich aber eine solche Absicht nicht habe, tut mir der Zweifel nicht so weh. Er blickte gerade in dem Augenblick zu ihrem Fenster hoch, als die Jalousie heruntergelassen wurde. Eine halbe Stunde lief er auf und ab vor dem Haus, doch Leonie kam und kam nicht. Er begann zu fürchten, er habe ihre Heimkehr in der Dunkelheit übersehen. Als es auch noch zu regnen anfing, kam Simrock sich wie in einer Pechsträhne vor und räumte seinen Posten.

Die Unterrichtsstunden zerrannen ihm unter den Händen, und er fand keine Stelle, in die er einen Keil hätte schlagen können. Der Lehrstoff war so bemessen, daß er jede Sekunde auffraß, und es wäre ein Wagnis auf dem Rücken der Kinder gewesen, ihn zu vernachlässigen. So verging Schultag um Schultag nach vorgegebenen Regeln, und Simrock mußte erkennen, daß Neuerungen, wie er sie vor Augen hatte, nicht dadurch zu erreichen waren, daß man in einem einzigen Klassenraum diese Regeln außer Kraft setzte, sondern nur dadurch, daß man sie änderte. Er wunderte sich, nicht schon längst bis zu diesem Punkt gedacht zu haben.

Obenan auf seiner Wunschliste stand: die Lehrpläne müßten so verändert werden, daß sie den Lehrern Spielraum ließen. Er war begierig, endlich seinen eigenen Vorstellungen nachzugehen und nicht immer nur Vollstrecker der Absichten anderer zu sein, die sich von seinen, auch wenn sie ihnen ähnlich waren, in wichtigen Punkten unterschieden. Er meinte, erst in dem ersehnten Spielraum werde die Persönlichkeit eines Lehrers sichtbar, das, was ihn von allen anderen unterscheide. Und erst dadurch entstehe das Klima, in dem Kinder zu eigenwilligen Wesen heranwachsen konnten und nicht dazu verurteilt waren, einander zu ähneln wie ihre Lehrer.

Doch er sah keine Chance, Verbündete zu gewinnen, nicht einmal interessierte Gesprächspartner. Er dachte: Wenn ich die Umstände real einschätze, dann bleibt mir nur, meine Gedanken zu Papier zu bringen und bei der Direktion abzugeben, um kurze Zeit später ein Disziplinarverfahren am Hals zu haben, das Gott weiß wie endet.

An einem der leeren Abende, an denen Simrock vor Hilf-
losigkeit ganz übel war, dachte er weiter über das Thema
nach. Er glaubte zu durchschauen, daß die Lehrpläne nicht
etwa deshalb so vollgestopft waren, weil die Verantwortlichen alles für unentbehrlich hielten. Er dachte: Der Ballast
in den Plänen ist absichtlich dort und genau kalkuliert. Er
soll genau das verhindern, was mir so wichtig wäre: daß
Lehrer Zeit finden, Kinder auch nach ihren eigenen Vorstellungen zu unterrichten und zu erziehen. Von einem
Glas zum anderen wuchs ihm der Verdacht, seiner Leh-
rerpersönlichkeit werde ganz schön mißtraut; sie werde
als unberechenbares Risiko angesehen, und darum habe
man Umstände geschaffen, die sie nicht zur Entfaltung
kommen ließen.

Simrock fing an zu fürchten, seine Untätigkeit verhärte
sich in einem solchen Maße, daß er nicht mehr die Kraft
finden werde, sie aufzubrechen. Er wünschte sich irgend-
ein Signal, ein helles Zeichen, dessen Wirkung darin bestand, daß es von einem Gleichgesinnten kam und ihm
zeigte, daß er mit seiner Sehnsucht nicht allein war. Er
dachte: Ich wünsche mir einfach Verbündete.

In diesen Tagen, als Simrock sich schon fragte, ob es nicht
am Ende das Sinnvollste sei, zu resignieren und den gege-
benen Zustand, der ja nicht unerträglich war, kampflos
hinzunehmen, erhielt er einen Brief, dessen Empfang er
quittieren mußte. Ihm wurde mitgeteilt, daß er am elften
Dezember seine Verlobte Antonia Kramm in der Frauen-
strafanstalt besuchen dürfe. Nachdem er den Brief aus der
Hand gelegt hatte, war sein erster Gedanke: Die Freude,
die ich gleich empfinden werde!

In den verbleibenden fünf Tagen wuchs Simrocks Aufregung unaufhörlich, so daß einige der Nichteingeweihten, und das waren alle Personen, mit denen er zu tun hatte, seine Fahrigkeit belächelten und sie auf ein Ereignis zurückführten, hinter das sie schon noch kommen würden. Am Unterricht nahm er mit halbem Ohr teil, manchmal machten Schüler ihn auf Fehler aufmerksam, bis auch sie erkannten, daß Simrock sich in einem Ausnahmezustand befand. Am zehnten Dezember meldete sich ein Junge zu Wort, stand von seinem Platz auf und schwieg lange, bis das aufmunternde Kopfnicken der anderen und Simrocks Frage, was denn los sei, Erfolg hatten. Er sagte, die Zerstreutheit ihres Lehrers sei allen aufgefallen, und so erkundige er sich im Namen der ganzen Klasse, was dahinterstecke, und ob die Klasse ihm, auf eine Weise, die er nur zu sagen brauche, helfen könne.

Simrock starrte die Schüler an, nicht weil er sich durchschaut fühlte, sondern weil ihm die Frage und das Angebot wie eine Liebeserklärung vorkamen. Er dachte, er erlebe jetzt einen großen Augenblick, und er dachte, was ihm in diesen Sekunden widerfahre, sei das zweite Glück innerhalb kurzer Zeit, wahrscheinlich das größere von beiden. Dann merkte er, daß er schwieg, wie um eine Antwort verlegen, und er meinte, er müsse jetzt etwas sagen, das nicht belanglos sein durfte.

Er sagte: »Die Sache ist die: Ich habe eine Freundin, die kenne ich seit einer guten Weile. Auch wenn wir nicht verheiratet sind, haben wir uns doch sehr gern und wohnen zusammen. Genauer gesagt, wir haben bis vor ein paar Monaten zusammengewohnt, seither sitzt sie im Gefängnis. Erspart es mir, euch die ganze Geschichte zu erzählen, die ist lang und verworren, und ich verstehe sie selber kaum. Auf eure Frage will ich nur antworten, daß ich einen Brief bekommen habe, in dem steht, daß ich sie morgen nachmittag zum erstenmal besuchen darf. Daran muß ich die ganze Zeit denken, und nur deshalb bin ich so unkonzentriert. Wie solltet ihr mir da helfen können?«

Sofort nach seinem letzten Wort, noch bevor er auf Reaktionen achtete, hatte Simrock das sichere Gefühl, recht getan zu haben. Dann erst sah er auf einigen Gesichtern Verwunderung, auf anderen Ratlosigkeit. In der letzten Reihe weinte ein Mädchen, das schon wie eine Frau aussah und das ihm immer gleichgültig vorgekommen war. Er strich dem Jungen, der immer noch stand, mit der Hand durchs Haar und setzte den Unterricht fort. Doch sein Erfolg war nur mäßig, denn die Unkonzentriertheit, die ihm zuvor so zugesetzt hatte, schien nun auf manche der Schüler übergegangen zu sein.

Am folgenden Tag, an dem Simrock noch weniger als am Tag zuvor bei der Sache war, fiel die Deutschstunde aus, in der ein Kapitel aus dem Roman *Der Untertan* besprochen werden sollte. Statt dessen stellte der Direktor den Schülern einen Oberleutnant der Landstreitkräfte vor, der sich bereitgefunden hatte, auf Schülerfragen zu antworten. Der Direktor dankte ihm dafür und malte dann das Bild der Bedrohung, gegen die unsere Volksarmee stehe. Nach einiger Zeit, als der Verdacht aufkommen konnte, der Direktor wolle die ganze Stunde okkupieren, legte der Oberleutnant seine Armbanduhr hörbar auf den Lehrertisch. Der Direktor unterbrach sich, wie zur Besinnung gekommen. Er sagte, er wolle jetzt, obwohl es zu dem Thema

noch viel zu sagen gäbe, das Feld für den Genossen Oberleutnant räumen und verließ ein wenig mürrisch die
Klasse. Der Oberleutnant gestand unter Lächeln, sein Besuch sei nicht ganz uneigennützig, denn er könne vielleicht
dazu beitragen, den Berufswunsch des einen oder anderen
Schülers in eine Richtung zu lenken, an die der noch gar
nicht gedacht hatte, zur Nationalen Volksarmee hin. Simrock zwängte sich in eine Bank und hoffte, seine Schüler
würden intelligente Fragen stellen.

Doch die Kinder hielten sich zurück, und selbst eine an-
feuernde Bemerkung Simrocks half nichts. Der Oberleutnant war zu einem Monolog gezwungen, in welchem er
das Leben der Offiziere und Unteroffiziere als abwechs-
lungsreich beschrieb, ihre Aufgaben vielseitig nannte und
ihre Verantwortung groß. Simrock fand seine Sprache
hölzern, bis er merkte, daß ihm ein solches Urteil gar nicht
zustand: daß er überhaupt nicht zugehört hatte, sondern
nur auf die Kinder geachtet. Er konzentrierte sich so lange
auf die Worte des Oberleutnants, bis er seine Meinung be-
stätigt fand. Er dachte, es sei ohne Bedeutung, daß die
Kinder keine Fragen stellten, denn auch im anderen Fall
hätte der Oberleutnant nichts anderes gesagt.

Dann vertiefte er sich in das Gesicht des Jungen, der neben
ihm saß, und versuchte, es sich unter einer Offiziersmütze
und Befehle rufend vorzustellen. Als der Junge zu ihm
hinsah und verlegen lächelte, hatte Simrock das Gefühl, in
der Darstellung des Oberleutnants habe das Soldatenleben
zu angenehm geklungen. Er dachte, die Kinder müßten
das auch spüren, und sie sollten doch lieber Fragen stellen,
statt so gutgläubig zu sein. Aber nichts geschah, obwohl
der Oberleutnant mehrmals dazu aufrief, ihn nur in die
Enge zu treiben. Da warf Simrock sich vor, es sei nicht zu-

letzt die Schuld seiner Erziehung, daß die Kinder in einem so wichtigen Moment schwiegen. Dies sei, dachte er, in wenigen Sekunden natürlich nicht aus der Welt zu schaffen, doch könne er die Folgen ein wenig mildern, indem er selbst die Fragen stelle, von deren Beantwortung er sich Aufschlüsse für die Kinder versprach. Er meldete sich zu Wort, und der Oberleutnant, der gewiß in Simrocks erhobener Hand einen Versuch sah, das Eis zu brechen, erteilte es ihm arglos.

Simrock sagte, ihm laste eine ganze Zahl von Fragen auf der Seele, zum Beispiel würden wohl alle gern hören, wieviel die Soldaten so verdienten. Der Oberleutnant sah ihn verwundert an, als wollte er zum Ausdruck bringen, daß man in dem Bemühen, die Schüler zum Reden anzustacheln, auch übers Ziel hinausschießen könne. Ausweichend sagte er, von Dienstgrad zu Dienstgrad gebe es im Sold natürlich Unterschiede, und er habe die genauen Summen nicht im Kopf. Ein Mädchen fragte ihn, wieviel er denn als Oberleutnant verdiene, da sagte er gereizt, das gehe doch wohl zu weit. Wieder meldete sich Simrock.

Er sagte, er verstehe nicht ganz, warum die Frage nach seinem Gehalt zu weit gehe, doch wenn der Oberleutnant nicht darüber zu sprechen wünsche, müsse man dies wohl oder übel respektieren. Jetzt zu seinen anderen Fragen, er schlage vor, daß er sie alle hintereinander stelle, damit der Oberleutnant einen Überblick gewinne und bei seiner Antwort auf die eine vielleicht diese oder jene andere schon berücksichtigen könne. Ihn interessiere: Die Freizeit der Soldaten und Offiziere, ins Verhältnis gesetzt zu Freizeiten in zivilen Berufen; ob auch die Freizeit einem Reglement unterworfen sei; für wie lange Zeit man sich verpflichten müsse und wie groß die Aussichten seien, innerhalb dieser Jahre, sofern man sich falsch entschieden habe, den Soldatenberuf wechseln zu dürfen; ob es Beschränkungen in Umgang und Information gebe, genauer: ob es für Armeeangehörige verboten sei, mit bestimmten Personen zu verkehren und bestimmte Sendungen zu hören und zu sehen; welche Möglichkeiten vorhanden seien, sich gegen Anordnungen, die man für unsinnig halte, zur Wehr zu setzen, in welchem Ansehen also die Diskussion stehe. Dann fügte Simrock hinzu, er wolle mit seinen Fragen die Schüler nicht etwa davon abhalten, die militärische Laufbahn einzuschlagen. Nur meine er, diese Informationen müßten offen und rechtzeitig gegeben werden.

Während er sprach, war er so mit der Wahl seiner Worte beschäftigt, daß er den Oberleutnant kaum wahrnahm. Als er zu Ende gesprochen hatte, sah er in ein fassungsloses Gesicht, und er gestand sich ein, daß ihn die Fassungslosigkeit des Oberleutnants freute. Er dachte: Das will ich glauben, daß dir so etwas noch nie passiert ist. Aber irgendwann muß man schließlich anfangen.

Simrock war zumute wie jemandem, der lange Zeit davor zurückgeschreckt war, eine bestimmte Arbeit zu tun, und der nun, nachdem er sie endlich begonnen hatte, merkte, daß sie ihm leichter von der Hand ging, als erwartet. Der Oberleutnant stand auf, und einen Moment lang hatte es den Anschein, als wollte er etwas sagen, was nur im Stehen gesagt werden konnte. Dann ging er hinaus. Es fiel Simrock auf, wie behutsam er die Tür hinter sich schloß, als wollte er überdeutlich darauf hinweisen, daß er sie nicht zuwarf.

Ein paar Sekunden fiel kein Wort, bis Simrock sich sagte, der Vorfall müsse sich in der Erinnerung der Kinder um so tiefer eingraben, je länger er die Stille dauern ließ. Er zuckte für die wenigen, die zu ihm hinsahen, mit den Schultern und stand von seiner Bank auf. Er ging nach vorn, vermied jeden bedeutungsvollen Blickwechsel und schickte die Kinder, da es ohnehin für heute die letzte Stunde war, nach Hause. Er selbst blieb ein paar Minuten allein in der Klasse, um da zu sein, falls der Oberleutnant oder der Direktor oder beide zusammen ihn noch zu sprechen wünschten. Dann verließ auch er die Schule, bis zu Antonia blieben ihm zwei Stunden Zeit.

Er fuhr zum Gefängnis und aß Mittag in einem kleinen Restaurant, das er in der Nähe fand. Während er auf den Kellner wartete, dachte er, schneller wäre ihm die Zeit vergangen, wenn ein Streitgespräch mit dem Oberleutnant zustandegekommen wäre. Er vermutete, die Episode habe ihn nur deshalb so kalt gelassen, weil ihm das wichtige Ereignis bevorstand. Obwohl er absichtlich langsam aß, mußte er noch fast eine Stunde spazierengehen, bis die Besuchszeit gekommen war. Vor einer Gärtnerei überlegte er, ob er Blumen oder eine Topfpflanze ins Gefängnis mitnehmen konnte, kam aber zu dem Schluß, das entspreche wohl nicht den Gepflogenheiten.

Aktentasche und Mantel mußte er abgeben; man klärte ihn darüber auf, daß es nicht statthaft sei, mit der Gefangenen über Haftumstände und über Dinge zu sprechen, die mit der Tat in Zusammenhang stehen. Simrock nickte und fragte, ob auch Antonia das wisse, worauf der Wachtmeister ihn ansah, als wolle Simrock sich über ihn lustig machen. Simrock fürchtete, er werde Antonia gegenübersitzen und nicht wissen, was er ihr sagen sollte.

Von zwei Seiten betraten sie gleichzeitig einen Raum, der in der Mitte durch ein Drahtgeflecht geteilt war. Simrock sah noch, wie die Tür hinter Antonia geschlossen wurde. Er versuchte, ein frohes Gesicht zu machen, und auch Antonia lächelte. Sie setzte sich an den Tisch, über dessen Platte das Gitter hinweglief, und sagte: »Setz dich doch.«

Simrock dachte, er würde viel darum geben, wenn er, ohne Draht und Aufsicht, eine ganze Stunde lang mit Antonia zusammen sein dürfte. Er fand es albern, sie zu einem Kuß aufzufordern, und dachte gleichzeitig: Warum eigentlich?

Antonia sagte: »Du siehst blasser aus, als ich dich in Erinnerung hatte.«

Simrock sagte: »Damals war ja auch Sommer.«

Antonia beugte sich vor und sagte sehr leise: »Ich mußte dich als meinen Verlobten ausgeben, sonst hättest du mich nicht besuchen dürfen.«

Simrock: »Das ist doch klar.«

Antonia: »Es fällt mir übrigens weniger schwer, als ich am Anfang befürchtet habe. Ich sage das nicht, um dich zu beruhigen. Ich bin mit netten Leuten zusammen.«

Simrock: »Ich wußte nicht, ob ich dir etwas mitbringen darf. Auch nicht, wie es sich mit Post verhält. Weil du mir keinen Brief geschrieben hast, dachte ich, daß auch ich dir keinen schicken darf.«

Er hatte den Eindruck, daß Antonia einen Moment lang verwirrt aussah, gleich darauf wußte er aber nicht mehr, woraus er das geschlossen hatte.

Antonia: »Es kann sein, daß ich früher entlassen werde. Man sagt, ich führe mich gut. Aber fest steht noch nichts.«

Simrock: »Wie du dir vorstellen kannst, muß ich oft an dich denken. Oder besser gesagt: Ich habe große Sehnsucht.«

Antonia: »Mir geht es nicht anders. Doch was ist mit deiner Schule? Hat sich irgend etwas Wichtiges zugetragen?«
Simrock: »Alles ist in Ordnung. Erzähl du mir lieber. Wie vergehen hier die Tage?«

Die Frau in Uniform, die in einer Ecke des Raumes saß und aussah, als erreichten nur solche Worte ihr Ohr, die nicht erlaubt waren, sagte: »Bitte sprechen Sie nicht über die Haftbedingungen. Man hat Sie darüber belehrt.«

Simrock sagte: »Entschuldigen Sie.«

Antonia: »Bestimmt macht es dir Mühe, die Wohnung in Ordnung zu halten. Riecht es immer noch nach Vanille? Oder wohnst du gar nicht mehr dort?«

Simrock: »So ein Unsinn. Ich habe mir gedacht, daß wir in den nächsten Ferien wieder nach Ungarn fahren.«

Antonia: »Was du für ein Zeug redest.«

Dann schlug sie vor, man solle sich ein wenig ansehen, ohne dabei zu sprechen, und Simrock fand ihren Einfall vernünftig. Während sie sich ansahen, dachte er: Wenn sie wieder frei ist, müssen wir alles vergessen, und am klügsten wäre es, jetzt schon damit anzufangen. Auch ging ihm durch den Kopf, daß Antonia eine Art Wiedergutmachung zustand, die, da niemand sonst sich dafür verantwortlich fühlen würde, von ihm zu leisten war. Er dachte: Ich könnte sagen, daß ich es ja nicht bin, dem sie das viele Unglück verdankt. Aber ich bin es, der sie liebt.

Antonia sagte: »Übrigens, ich würde es gut verstehen, wenn du . . .«

Sie unterbrach sich, und auf Simrocks Frage, was sie gut verstehen würde, schüttelte sie verlegen den Kopf. Die Aufseherin kam aus ihrer Ecke und zeigte auf die Uhr. Antonia steckte einen Finger durch das Gitter. Simrock hielt ihn so lange fest, bis die Aufseherin ihn mahnte zu gehen.

Gut zwei Wochen später, zwischen Weihnachten und Neujahr, wurde Simrock ins Rathaus bestellt, wo die Kreisschulrätin und ein zart aussehender Mann, den er nicht kannte und dessen Namen er bei der Begrüßung nicht verstand, auf ihn warteten. Die ersten Worte der Schulrätin waren, daß Simrock sicher wisse, worum es geht, aber Simrock log sie an, indem er verwundert tat und sagte, er habe keine Ahnung. Die Rätin verhielt sich so, als sei ihrer Vermutung zugestimmt worden, sie sagte, sie habe Simrock die folgende Mitteilung zu machen. Simrock nickte ihr in freundlicher Ungeduld zu, als wollte er ihr Mut machen, denn er war entschlossen, beherzt aufzutreten und nicht den kleinsten Grund für die Vermutung zu geben, ihn plage Reue oder ein schlechtes Gewissen. Auf dem Weg ins Rathaus hatte er sich, wie um es nicht zu vergessen, ein paarmal wiederholt, daß er keine Schuld zuzugeben brauche, da er sich keiner bewußt sei, daß er folglich jede Strafandrohung als ungerecht ansehen und laut so bezeichnen dürfe.

Die Rätin sagte, nach eingehender Beratung und unter Berücksichtigung aller Umstände sei entschieden worden, daß Simrock nicht länger Erzieher von Kindern sein könne, die zu Persönlichkeiten im Sinne unseres Staates reifen sollten. Der jüngste Vorfall sei in der Reihe von Simrocks Verfehlungen so erheblich, daß niemand einen anderen Weg sehe, als sich von ihm zu trennen. Einer der beratenden Mitarbeiter, sagte sie, habe sogar von einer Provokation gesprochen.

Simrock fragte: »Von welchem Vorfall sprechen Sie, bitte?«

Die Schulrätin sah ihn lange an, als ermahne sie ihn, nicht auch hier noch zu provozieren. Der Mann neben ihr lächelte und flüsterte ihr etwas ins Ohr. Simrock sah seine neuen Schuhe unter dem Tisch und hielt sie für ein Weihnachtsgeschenk. Die Schulrätin sagte, Simrock stehe natürlich ein gesetzliches Einspruchsrecht zu, in einem Ton, der dringend davon abriet, es in Anspruch zu nehmen.

Simrock gingen verschiedene Bemerkungen durch den Sinn, ironische, grobe und eine sachliche. Bevor er sich jedoch entscheiden konnte, glaubte er, jede Diskussion sei sinnlos, weil die Schulrätin als eine festgelegte Person vor ihm saß. Nur über die Rolle des Mannes neben ihr war er sich nicht im klaren. Er sagte: »Selbst wenn ich Sie davon überzeugen würde, daß die Anschuldigungen gegen mich aus der Luft gegriffen sind, könnten Sie die Entlassung nicht rückgängig machen.«

Die Schulrätin sagte: »Vor allem würde ich es nicht wollen.«

Simrock sagte: »Traurig ist nur, daß die Kinder einen guten Lehrer verlieren.«

Der fremde Mann lächelte wieder und legte der Schulrätin, bevor sie zur Antwort angesetzt hatte, eine Hand auf den Arm. Simrock fand, daß er, wenn man ihm länger gegenübersaß, doch nicht so zerbrechlich aussah.

Im Ratskeller überkam ihn Verwunderung, wie schnell alles gegangen war, dann Bestürzung. Am erschreckendsten schien ihm zu sein, daß die Entlassung, die an sich ja in seiner Rechnung vorkam, denn er hatte sie vor Monaten als äußerste Reaktion erwogen, so früh erfolgt war. Noch bevor er richtig angefangen hatte, der Lehrer zu sein, der er sein wollte. Schon bei der allerersten Gelegenheit, dachte er, schon im Vorfeld dessen, was eigentlich zu tun wäre. Ein wenig freute er sich, als er bemerkte, daß sein Ärger nicht von Sorgen um sich selbst herkam, sondern von einer Sorge um etwas, das außer ihm lag und an dem er beteiligt sein wollte. Das stärke seine Position, dachte er, denn es zeige ihm nicht nur das Fehlen von Furcht an, es gebe ihm auch ein gutes Gewissen. Gleich darauf fragte er sich: Was nützen mir aber die vielen guten Absichten, wenn ich mein Betätigungsfeld nicht mehr betreten kann?

Doch aus der Misere, an einer Sache nur dann beteiligt sein zu dürfen, wenn man keinen Einfluß auf sie nahm, sah er keinen Ausweg. Am Ende, dachte er, gibt es auch keinen für mich. Ein Trost war ihm der Gedanke, die Schule sei schließlich nicht nur die Schule. Der Magen tat ihm weh, Simrock zahlte und beschloß, bis zum nächsten Wiedersehen mit Antonia nicht mehr so unkontrolliert Schnaps zu trinken.

Er trat auf die Straße und wußte nicht, ob er sich nach links oder nach rechts wenden sollte. Als er endlich über den Damm gehen wollte, um Lebensmittel einzukaufen, stellte sich ihm Kabitzke in den Weg. Kabitzke sagte, ein so großer Zufall sei das nicht, denn die Rätin habe ihn als Vertreter der Schulleitung zu sich bestellt, um ihn über die Aussprache mit Simrock zu unterrichten. Das sei eben geschehen, er schlug vor, sich irgendwo hinzusetzen und ein paar Worte miteinander zu reden.

Simrock fragte: »Was für Worte?«

Kabitzke lachte, dann sagte er, er wisse zwei Straßen weiter ein Café. Simrock spürte, daß Kabitzke ihn für verwirrt hielt und daß er die Absicht, sich auf eine menschlich anständige Weise aus der Affäre zu ziehen, so schnell nicht

aufgeben wollte. Er fand, sein Verhältnis zu Kabitzke sei
nicht freundschaftlich genug, um sich dafür zur Verfügung
zu stellen. Zudem war ihm klar, daß man in einer Stimmung wie der seinen zu Unbeherrschtheiten neigt.

Er sagte: »Antworte mir ehrlich: Wenn du zu entscheiden
gehabt hättest – wäre ich dann heute noch Lehrer?«

Kabitzke tat, als müsse er sich wundern, wie Simrock den
leisesten Zweifel daran haben konnte. Er sagte, man dürfe
im übrigen die Flinte nicht zu früh ins Korn werfen. Irgendwann werde eine Zeit kommen, die ein neues Licht
auf die Angelegenheit werfe, irgendwann werde man reif
genug sein zu verstehen, daß Querulanten wie Simrock es
im Grunde gut meinten. Er, Kabitzke, sei der erste, auf
dessen Unterstützung Simrock dann rechnen könne, und
Zeiten änderten sich schneller, als mancher es erwarte.

Simrock zwang sich, übertrieben erleichtert auszusehen.
Er sagte: »Es tut wirklich gut zu wissen, daß es Freunde
wie dich gibt. Ich habe die Absicht, mich im Ministerium
zu beschweren. Dort erklären zu können, daß auch mein
Stellvertretender Direktor auf meiner Seite steht, wird mir
eine große Hilfe sein.«

Sofort breitete sich Unglück über Kabitzkes Gesicht aus.
Simrock überlegte, ob er Neugier oder lieber Abscheu davor empfinden sollte, mit welchen Argumenten Kabitzke
gleich den Rückweg antrat. Doch während Kabitzke dar-
legte, wie sinnlos der Weg ins Ministerium sei, da von dort
der Beschluß ja komme, merkte Simrock, wie der Ekel alle
Neugier in ihm besiegte. Eine Übelkeit, die er weder mit
dem Schnaps noch mit seinem nervösen Magen in Zusammenhang brachte, machte ihm zu schaffen, und er fürchtete, sich auf offener Straße vor dem Rathaus übergeben zu
müssen. Er machte sich nicht einmal die Mühe, eine Ent-

schuldigung zu erfinden. Er drehte sich um und ging so schnell weg, daß Kabitzke, wäre er ihm nachgelaufen, den Eindruck hätte erwecken müssen, er laufe ihm nach wie jemandem, den man nicht verlieren will.

Als Simrock am nächsten Morgen aufwachte, sagte er sich, er wäre, auch wenn man ihn nicht entlassen hätte, heute nicht zur Schule gegangen: jetzt seien Ferien. Auf den Tagesablauf habe die Entlassung folglich keinen Einfluß. Er versuchte noch einmal einzuschlafen, und als er zum zweitenmal aufwachte, wunderte er sich, daß er es fertiggebracht hatte. Er dachte: Es hat keinen Sinn, darüber hinwegzusehen, daß ich so ziemlich alles verloren habe, was man verlieren kann.

Dann hielt er es aber für unklug, jetzt schon Schlüsse zu ziehen, so kurz nach der Aufregung; schließlich sei er kein Reporter, sagte er sich, und es komme nicht auf aktuelle Berichterstattung an. Er nahm sich vor, zumindest den ersten Tag mit Arbeiten zu verbringen, die seine ganze Aufmerksamkeit erforderten. Er nähte die drei Knöpfe an, die seit Antonias Verhaftung von seinen Kleidern abgegangen waren, das dauerte nicht einmal eine Stunde. Anschließend wollte er eine Gemüsesuppe aus dem Kochbuch abkochen, hörte aber in der Vorbereitung auf, weil er plötzlich sicher war, sie würde ihm nicht schmecken. Während er im Kochbuch nach einer anderen Speise blätterte, die aus den vorhandenen Zutaten bereitet werden konnte, dachte er: Wahr ist doch aber auch, daß die Verluste mir zu einer Unabhängigkeit verholfen haben, wie ich sie nie zuvor kannte.

Er aß ein paar Würstchen in einem Lokal und fand, er habe den ersten Vormittag auf eine Weise hinter sich gebracht, die nicht unerträglich war. Ihm kam der Gedanke, ein Tagebuch zu führen, doch er war sofort dagegen, bevor er noch wußte warum. Bald sagte er sich, er wolle sich nicht von Rückblicken aufhalten lassen, und je schneller er eine neue Art zu leben und sich zu ernähren finde, um so früher werde er neue Hoffnungen annehmen und die alten, unerfüllbaren, vergessen.

Nach dem Essen spazierte er eine belebte Straße entlang und fand es traurig, daß er seinen Schülern keine Abschiedsrede halten konnte. Er stellte sich die Klasse nach den Weihnachtsferien vor: Der Lehrer Simrock war nicht mehr da. Die Gründe für sein Verschwinden würde kein Schüler erfahren, und die wenigen, die die Zusammenhänge ahnten, würden über das Schweigen der verbliebenen Lehrer ins Vergessen kommen. Simrock dachte: Ich muß zugeben, daß die Lücke, die ich hinterlasse, nicht groß genug ist, um mein Fehlen lange zu bedauern.
Durch die Tür eines Bäckerladens, die in dem Augenblick geöffnet wurde, als er vorbeikam, strömte ihm der Geruch von frischem Brot entgegen. Da schlug er sich gegen die Stirn und dachte: Genau für den Fall, der jetzt eingetreten ist, habe ich doch vorgesorgt!
Er sah auf die Uhr und versuchte, sich an den Fahrplan zu erinnern, nach dem er Brot mit Boris ausgefahren hatte. Die einzige Uhrzeit, die er noch im Kopf hatte, war die des Schlußpunkts ihrer täglichen Tour, einer Kaufhalle in der nördlichen Vorstadt. Er nahm sich ein Taxi, unterwegs überlegte er, ob das, was er so kurzentschlossen tat, auch wirklich seinen Wünschen entsprach. Er dachte: Natürlich entspricht es nicht meinen Wünschen, denn viel lieber

wäre ich Lehrer geblieben. Trotzdem spürte er Vorfreude, von der er nur hoffte, sie sei keine gewaltsame und halte den kommenden Ereignissen stand.

Er ging in die Abteilung für Backwaren und erkannte daran, wie wenig Brot in den Regalen lag, daß die tägliche Lieferung noch nicht eingetroffen war. Vor der Kaufhalle lief er in der Kälte hin und her. Nach einer Weile überkam ihn Furcht, Boris könnte inzwischen einen festen Beifahrer haben. Dann dachte er: Und an die Möglichkeit, daß er inzwischen längst woanders arbeitet, denkst du nicht?

In einem Geschäft, das der Kaufhalle genau gegenüberlag, kaufte er sich ein Paar Handschuhe, wobei er die Straße im Auge behielt. Zur Verkäuferin sagte er, die Handschuhe dürften nicht zu fein sein, man müsse gut mit ihnen zufassen können. Als Minuten später immer noch nichts geschehen war, ging er zur Leiterin der Kaufhalle und fragte, ob die Brotfuhre schon durch sei. Die Leiterin, die ihn nicht erkannte, zeigte an ihm vorbei und sagte, dort halte der Wagen gerade.

Mit dem ersten Blick sah Simrock, daß Boris seine langen Haare abgeschnitten hatte, mit dem zweiten, daß er ohne Beifahrer war. Es rührte Simrock, daß Boris ihm ein paarmal die Schulter klopfte und keinen vernünftigen Satz sagen konnte und ihn fast umarmt hätte. Er dachte, daß allein schon wegen dieser Freude der Weg hierher und das Warten sich gelohnt hatten. Gemeinsam brachten sie das Brot und den Kuchen in den Lagerraum, Boris fand nichts dabei, daß Simrock mittrug. Als Simrock einen der Kästen abstellte, erkannte ihn die Leiterin der Kaufhalle doch noch, und sie fragte, wo er denn solange gesteckt habe. Simrock war der Meinung, Boris habe mit den langen Haaren besser ausgesehen, aber Boris sagte, lange Haare seien heute passé. Im Fahrerhaus stellte sich heraus, daß hinter den kurzen Haaren eine neue Freundin steckte. Simrock überlegte, wie er ihm seine Situation schildern sollte, ohne Mitleid zu erregen, bis er fand, es sei übertrieben, jetzt auch noch darauf zu achten.

Er sagte, wie um eine Bresche in die harmlose Plauderei zu schlagen, er wolle wieder Brotfahrer werden, er sei kein Lehrer mehr. In der langen Pause, die folgte, dachte er, damit sei eigentlich das Wichtigste gesagt, der Rest habe Zeit. Boris fuhr den Wagen an den Straßenrand. Er stellte eine Frage nach der anderen, und Simrock gab auch dann Auskunft, wenn er eine der Fragen für überflüssig hielt. Zum Beispiel erläuterte er geduldig, wie wenig erfolgversprechend es war, sich zu überwinden, wie Boris es vorschlug, und mit den verantwortlichen Jungs noch einmal vernünftig zu reden. Während er sprach, fragte er sich, woher seine Geduld kam.

Als Simrock schließlich vermutete, Boris habe sich in seiner Anteilnahme selbst gefangen und finde nun den Ausgang nicht mehr, sagte er, sie sollten doch nun langsam auf die Gegenwart zu sprechen kommen. Boris nickte. Er hörte sich noch einmal Simrocks Wunsch an, wieder in der Brotfabrik zu arbeiten, und tat dann so, als sei dieser Wunsch haargenau auch sein eigener. Mit einem Überschwang in der Stimme, der Simrock ehrlich vorkam, sagte er, Simrocks Auftauchen sei für ihn ein regelrechter Glücksfall. Denn er habe sich schon, sagte er, ernsthaft mit dem Gedanken getragen, seinen Job, der ihm nicht so schwer wie einfach zu einsam sei, hinzuschmeißen, da komme Simrock wie vom Himmel und beende die Not.

Bevor sie weiterfahren konnten, mußten sie die Fenster

säubern, die ganz beschlagen waren. Boris rieb jede Scheibe mit einem Leinenbeutelchen ab, das prall mit Salz gefüllt war. Simrock machte ihn darauf aufmerksam, daß an den anderen Autos die Scheinwerfer schon brannten. Boris sagte: »Du wirst sehen, wir machen uns ein paar Jahre, Junge, so was hat es überhaupt noch nicht gegeben.«

Einmal fragte sich Simrock, ob er sich nicht zu wichtig nehme. Ob eine Welt, in der jeder Lehrer so störrisch wie er darauf bestand, seine Individualität zu entfalten, nicht das reinste Chaos wäre, und ob seine Verbissenheit nicht mehr Schaden als Nutzen bringe. Ob ein wenig Selbstverleugnung, fragte er sich, ihn so verunstalten würde, daß er fürchten müßte, nicht mehr er selbst zu sein; und ob er nicht ein überzeugter Anhänger der Entspannung sei, und wie Entspannung denn anders zustandekommen solle als dadurch, daß die im Zustand der Spannung sich befindenden Parteien einen gewissen Verrat an sich selbst übten, indem sie ihre Ansprüche reduzierten.

Dann fand er, er irre wieder einmal zwischen Fragen umher, die er doch längst entschieden zu haben glaubte, und er sagte sich: Immer wieder werfe ich mir denselben Knüppel zwischen die Beine, weil ich mich nicht dazu aufraffen kann, meine Entscheidungen für überzeugend zu halten.

Er stellte sich einen Zustand der Sicherheit paradiesisch vor. Schuld daran, daß er ihn bisher nicht erreicht hatte, so vermutete er, könne nur sein, daß er bisher nicht die richtigen Ansichten gefunden hatte. Dann sagte er sich: Es wäre kindisch zu glauben, ich könnte mit Zweifeln fertig werden, indem ich beschließe, sie einfach nicht länger zu haben. Doch plötzlich, mitten in dem Wunsch nach einem festen Standpunkt, überkam ihn eine Ahnung: daß dieselbe Quelle, die immer aufs neue seine Unsicherheit speiste, ihm auch Zuversicht gab.

Zu Boris sagte er: »Solange ich denken kann, bin ich immer auf Ausgleich bedacht gewesen. Das bedeutet, daß ich immer ausgleichen wollte zwischen etwas, das mir angenehm und etwas, das mir unangenehm war. Auf diese Weise war ich über ein Resultat nie richtig froh. Jetzt habe ich damit aufgehört. Ich sage mir, es gibt in meiner Umgebung für das Unangenehme so viele konsequente Verfechter, daß auch ich ruhig konsequent sein kann. Leider weiß ich jetzt schon, daß mich immer wieder Zweifel dabei plagen werden.«

Er dachte noch einmal: Vielleicht ist aber gerade das ein Vorzug.

Einmal machte Boris den Vorschlag, Simrock solle seinen Führerschein machen, denn er müsse auch an sein Fortkommen denken. Es gehe nicht an, sagte er, daß Simrock bis in alle Ewigkeit als ungelernter Arbeiter neben ihm sitze, denn er wisse genau, daß bald zum täglichen Schrecken wird, was heute noch erträglich scheint. Er sagte, selbst wenn Simrock keine andere Arbeit tue als jetzt, nur eben mit einem Führerschein in der Tasche, würde er ein gutes Stück mehr Geld verdienen. Und ein paar Tage später, als Simrock sich zu seinem Vorschlag immer noch nicht geäußert hatte, sagte Boris: »Außerdem kenne ich einen, der sich nicht ärgern würde, wenn du ab und zu auch mal das Lenkrad in die Hand nehmen könntest.«

Im Februar bekam Simrock einen Brief, in dem die Schulrätin ihn zu einer Unterredung bat. Simrock rief ein paarmal im Rathaus an, um zu erfahren, was sie von ihm wollte, erreichte sie aber nie. So ging er hin, obwohl er zunächst entschlossen gewesen war, sich nicht um die Einladung zu kümmern. Er trug seine Arbeitskleidung und achtete darauf, daß sie reichlich mit Mehl bestäubt war. Die Rätin empfing ihn freundlich, schien nichts an seinem Aufzug zu finden und fragte, wie es ihm gehe. Simrock breitete sein Taschentuch auf einem Stuhl aus, wie er es von einem Kohlenträger einmal gesehen hatte, und setzte sich vorsichtig darauf. Er antwortete, die Rätin möchte bitte zur Sache kommen, denn er sei in seiner Arbeitszeit hier, wie sie vielleicht sehe, und könne sich nur kurz aufhalten. Sie aber behielt ihren freundlichen Blick und sah ihn lange an, bis er sicher war, sie sei beauftragt, ihm eine angenehme Mitteilung zu machen.

Eine Sekretärin brachte zwei Tassen Kaffee, dann sagte die Rätin, in unserem Staat werde niemand fallengelassen. Die verantwortlichen Genossen hätten, nach der ersten Aufregung, Simrocks Angelegenheit wieder und wieder beraten, und sie seien zu einem Ergebnis gekommen, das Simrocks Miene gewiß gleich aufhellen werde. Man habe beschlossen, Simrock wieder als Lehrer arbeiten zu lassen, wenn er nur seinen Fehler eingestehe und akzeptiere, daß die Bildungspolitik nicht von den zufälligen und manchmal wirren Vorstellungen einzelner Lehrer gestört werden dürfe.

Simrock trank Kaffee und spürte, daß sich wieder einmal alles entschied. Für einen Augenblick hatte sein Herz schneller geschlagen, als er, obwohl alle Erfahrung dagegensprach, es für möglich hielt, daß die Schulbehörde ihre Schuld erkannte und wiedergutmachen wollte. Dann, bevor ihm irgendeine Entgegnung einfiel, dachte er: Vielleicht ist das die einzige Art, in der Behörden ihre Schuld zugeben können? Die Rätin fragte, ob es ihm die Sprache verschlagen habe. Simrock dachte: Wenn das aber so ist, dann muß es unbedingt geändert werden.

Die Rätin sagte: »Ich kann gut verstehen, daß diese freudige Nachricht überraschend für Sie kommt und daß Sie etwas Zeit brauchen. Was halten Sie davon, wenn wir uns noch einmal treffen, sagen wir in einer Woche, und dann das Weitere besprechen?«

Simrock dachte, seine Vermutung, es könne sich um eine den Behörden eigene Art von Einsicht handeln, sei viel zu optimistisch gewesen; es müsse ein anderer Antrieb hinter der Sache sein, den er nur noch nicht erkenne. Er versuchte, sich in die Gegenseite hineinzuversetzen, wobei ihn der Blick der Rätin, der allmählich ungeduldig wurde, störte. Bald kam es ihm am wahrscheinlichsten vor, daß die Behörden Ruhe wünschten: Ein entlassener Lehrer war ein möglicher Unruhestifter, der am wirkungsvollsten dadurch unschädlich zu machen war, daß man ihn in den Schulbetrieb zurückführte und – indem man ihm Gelegenheit gab, seine Schuld wiedergutzumachen – die Schuldfrage nebenbei gleich mitklärte.

Die Rätin sagte: »Also, Herr Simrock.«

Simrock, der einsah, daß jetzt nicht die Zeit war, den Detektiv zu spielen, dachte, vor einer Entgegnung müsse er wieder in den Zorn finden, der ihn im ersten Augenblick gepackt hatte. Als er glaubte, soweit zu sein, sagte er: »Ich habe so lange geschwiegen, weil ich der Ansicht war, es müßte noch etwas kommen. Doch ich sehe, daß Sie mich tatsächlich nur hergerufen haben, um mir diese eine Botschaft zu übermitteln.«

Die Rätin sagte, sie verstehe Simrock nicht ganz.

Simrock sagte: »Wie können Sie hoffen, ich entschuldigte mich für ein Unrecht, das man mir zugefügt hat? Wie können Sie von mir erwarten, daß ich Dankbarkeit für eine Demütigung aufbringe? Und vor allem: Wie können Sie sich einen Lehrer wünschen, der auf solche Angebote einzugehen bereit ist?«

Die Schulrätin erhob sich. Ihr Gesicht zeigte keine Überraschung, nur Kälte, und Simrock fand, sie habe sich gut in der Gewalt. Sie benimmt sich, dachte er, als seien solche Situationen für sie nichts Ungewöhnliches, doch hätte er geschworen, daß sie hinter ihrem abweisenden Gesicht fassungslos war. Während er die Treppe hinunterging, ärgerte er sich, weil er sich in der Tür nicht umgedreht und der Rätin nicht gesagt hatte: »Übrigens bin ich nur noch kurze Zeit bereit, die Entschuldigung derjenigen anzunehmen, die für meine Entlassung verantwortlich sind.«

Er merkte, daß er sein Taschentuch auf dem Stuhl vergessen hatte, ging aber nicht zurück. Er sagte sich, wer so Hals über Kopf in eine ungewohnte Rolle stürze wie er, der habe einfach auf zu vieles zu achten.

Auf einem nahegelegenen Parkplatz wartete Boris mit dem Brotwagen. Er sagte, er sei halb erfroren, und er fragte, was denn nun im Rathaus losgewesen sei. Simrock erzählte es ihm. Als er fertig war, sagte Boris, Simrock sei schön dumm gewesen, überhaupt hinzugehen. Simrock nannte ihn einen Klugscheißer, der einmal so rede und dann wieder so. Er fragte, was man denn anderes tun solle, wenn man in einer Situation wie er sei, als sich wieder und wieder in Gespräche einzulassen. Boris sagte, wenn die Antwort darauf bekannt wäre, würden sich bestimmt viel mehr Leute in die gleiche Situation begeben.

Simrock sagte: »Sogar wenn ich bereit gewesen wäre, mich zu entschuldigen, hätte ich es nicht gekonnt. Ich glaube, meine Zunge hätte mir nicht gehorcht.«

Während der Fahrt fing er an, sich zu wundern, wie es geschehen konnte, daß er Schritt für Schritt und eigentlich ohne es zu merken, in diese Lage gedrängt worden war. Sie kam ihm wie das Resultat von Umständen vor, die außerhalb seiner Verantwortung lagen und auf die er nur Einfluß gewinnen konnte, indem er den Versuch wagte, sie zu ändern. Bald aber, je länger er über die Zwangsläufigkeit seiner Handlungen nachdachte, störte ihn das Schicksalhafte daran, und er versuchte, sich an eine Reihenfolge zu erinnern. Dann sagte er sich: Den größten Ekel hat mir wahrscheinlich gemacht, daß ich mich nie gewehrt habe. Ich habe getan, dachte er, als sei es nicht meine Sache, mich gegen Bevormundung und Ungerechtigkeiten aufzulehnen. Und das bedeutet: Ich habe mich nicht zuständig gefühlt für mich selbst.

Seine Überlegungen wurden gestört, als der Wagen scharf bremste. Simrock mahnte Boris, nicht so schnell zu fahren, doch Boris fragte, wie sie denn sonst die verlorene Zeit wieder aufholen sollten.

Als sie einem Rettungswagen die Vorfahrt lassen mußten, fiel Simrock sein Herz ein, das er vor langer Zeit für krank gehalten, das sich seitdem aber tapfer geschlagen hatte. Er erinnerte sich sofort an den kleinen Schmerz in der Schulklasse und an die große Angst, der Tod rücke ihm nun auf den Pelz. Er dachte, wenn er versuche, die ganze Sache in einem günstigen Licht zu sehen, dann sei die damals entstandene Beunruhigung, von der er ja heute noch zehre, vielleicht ein Gewinn gewesen.